SV

GERTRUD LEUTENEGGER
SPÄTE GÄSTE

Roman

Suhrkamp

Für Unterstützung dankt die Autorin der
Stiftung Pro Helvetia.

Erste Auflage 2020
Satz: Satz-Offizin Hümmer GmbH, Waldbüttelbrunn
Druck: Pustet, Regensburg
Printed in Germany
ISBN 978-3-518-42958-7

SPÄTE GÄSTE

I

ABEND

I

Es dunkelt schon, als ich den ovalen Platz unter den Bäumen betrete. Nichts rührt sich, nur der Kies knirscht unter meinen Schritten. Kein Luftzug geht hier oben, ein klarer Februarabend, in der Tiefe liegt über der Lombardei ein von diffusen Lichtern erhellter Nebelschleier. Lange lehne ich auf dem Friedhof den Kopf an die verriegelte Tür der Totenkapelle, im Sommer von Schwalbengezwitscher erfüllt, undurchdringliche Schwärze schlägt mir durch die zwei Türfenster entgegen, nicht den geringsten Umriß des Sargs kann ich erkennen. Orion ist gestorben! Unbemerkt in der Nacht. Furcht und Liebe, Zorn und Flucht, alle Glückseligkeiten und die bestürzende Unvernunft meines Herzens fallen in diesem einen Augenblick zusammen, da ich den Geruch der verschlossenen morschen Holztür einatme. Orion aber ist wieder jung, er sitzt auf dem Außendeck der Fähre über den Hudson River, zu seinen Füßen der verbeulte Fiberkoffer, mit den eingedrückten Beschlägen, den rostigen Schlössern, nie fühlt Orion sich leichter unterwegs als mit seinem Fiberkoffer. Auch jetzt hat er ihn mitgenommen, er muß neben dem Sarg stehen, ich kann ihn nur nicht sehen im Finstern der Totenkapelle, Orion hat

9

geduldig gewartet, bis der Tod ihn holte zu dieser letzten Überfahrt. Er hat sich kein Leid angetan! Etwas wie Triumph durchzuckt mich. Wilde Dankbarkeit. An die Holztür gepreßt, neige ich den Kopf.

In den getönten Bogenfenstern der kleinen Vorhalle erlischt der Blauton. Das gewaltige Bergmassiv über dem Dorf wird eins mit dem Nachthimmel. Da und dort schimmert noch ein Fotomedaillon, von verlassenen Grabstätten strömt ein Duft von Moos und Efeu. Zurück auf dem Platz unter den Bäumen, sehe ich erst jetzt bei den Roßkastanien zur Straße hin die Reste von Schnee, übersät von Konfetti. Und was ist mit diesen nach vorn geknickten rötlichen Ohren, die aus dem schmutzigen Weiß hervorragen? Ich ziehe nur etwas daran, da kommt die ganze Schweinsmaske mit plattgedrücktem Rüssel zum Vorschein. In den Nasenlöchern steckt Kies, die aufgemalten Augen sind übergroß, keineswegs schweinemäßig winzig und schief geschlitzt, sondern sehr dominant, vergnügt die schwarzen Pupillen rollend. Rasch, als würde sonst das Schweinchen gleich zu grunzen anfangen, bedecke ich es wieder mit Schnee und richte mich auf. Die Linden, die gegen den See unten in der Ebene den Platz begrenzen, neigen sich seitwärts, beladen von den Geschichten des Dorfes, sich krümmend unter der Herrschaft des Berges, die Kronen immer wieder beschnitten, jeden Frühling aufs neue ausschlagend. Und ich bin nie fortgewesen.

2

Heute nachmittag um drei Uhr wird für Orion die
Totenglocke geläutet haben. Der seltsam hohe, eintö-
nige Klang, bei dem uns jedesmal der Atem stockte,
hat die Geräusche im Dorf unterbrochen, und in der
jähen Stille dringt sein Klagelaut bis in die engsten
Gassen. Nur der Wasserfall hinter dem Dorf tost noch
vernehmlicher, ungestüm und ungerührt stürzt er
sich die Felswand hinunter. Die Kinder, die schon ihren Fasnachtstag hinter sich haben, werden bald wissen, daß Orion gestorben ist. Sie brauchen nicht mehr
schräg über den Platz davonzurennen, wenn er auftaucht, in der größten Sommerhitze in seinem langen
schwarzen Mantel und dem breitkrempigen Hut, oder
an einem frostigen Wintermorgen in einem flatternden Anzug, dünn wie Seidenpapier, den er an unserer Hochzeit trug. Seine stoische Unempfindlichkeit
jedem Wetter gegenüber ließ ihn als ein Fabelwesen
aus einer anderen Klimazone erscheinen, zudem schlief
er tagsüber meist und starrte nachts in den letzten
vom lombardischen Dunst ausgesparten Tiefen des
Himmels nach den Sternen. Vielleicht wagen sich nun
die Kinder, bei Dämmerung, in den Garten auf der
Südseite des Dorfes vor, wo halb zugewachsen von
Farnen und Brennesseln Orions Teleskop steht, sie
befingern die rostigen Schrauben des Ungetüms, das
wie eine abgestürzte Mondrakete zwischen den Bü-
schen aufleuchtet, oft hat Orion versprochen, ihnen

den Andromedanebel mit seinen drei kugelförmigen Zwerggalaxien zu zeigen, aber wenn sie sich dann zu verabredeter Stunde in die Nähe schlichen, war niemand da.

Vom Platz aus werfe ich nochmals einen Blick hinüber zur Totenkapelle auf dem Friedhof. Erst morgen kann ich die Hände, den Kopf auf Orions Sarg legen, nichts ist seiner Totenruhe angemessener als diese verriegelte Tür. Jahrelang stand sie offen, jahrelang schlug sie auf und zu, jahrelang war ich nicht fähig, mit Abstand und ohne Angst auf die hinter der Tür lauernden Schrecken zu blicken, waren sie denn nicht gleichzeitig da mit dem ganzen Glanz des Lebens? Wenn Orion die Tür zu seinen Abgründen aufstieß, war auch ich sofort jenseits der Schwelle, ich besaß zuviel Einbildungskraft, das war mein Verhängnis. Jetzt hat der Tod die Tür geschlossen. Der Nebelschleier über der Lombardei ist dichter geworden. Überrascht betaste ich meinen leichten Mantel, warum nur habe ich mich nicht wärmer angezogen? Unverzüglich, ohne die Kleider zu wechseln, eilte ich nach der Mitteilung von Orions Tod auf den Zug, ich wollte ihn noch sehen, noch ein Mal berühren, die Fahrt war lang, ich kann mich schon an nichts mehr erinnern. Nie prägt sich mir etwas von einer Hinreise in den Süden ein, nur von der Rückreise, jede Rückreise ein Schnitt mit dem Messer, tief hinein in den Wundkanal jener Fahrt über den Gotthardpaß, mit dem letzten Blick in die Leventina hinunter, zerrissen vor Schmerz, nur das Kind im Wagen, auf der Flucht.

Man hat mir gesagt, ich würde bestimmt im Wirtshaus am Waldrand übernachten können, obwohl der Wirt seit langem keine Logiergäste mehr aufnimmt, man hat im Dorf nicht vergessen, daß ich früher dort oft Zuflucht suchte. Ich wisse ja, unter welchem Stein in der Gartenloggia der Wirt bei Abwesenheit den Schlüssel hinterlege, seit Sizilien dem Ansturm der Migranten ausgesetzt sei, fahre er häufiger nach Modica zurück. Hinter wenigen Fenstern im Dorf ist noch eine Lampe angezündet, hin und wieder ein heller Bildschirm in einem dunklen Zimmer. Ohne Zögern gehe ich durch die schmalen Gassen, die Hausmauern neigen sich gegeneinander und lassen nur einen Spalt des Nachthimmels frei. Als wäre ich in ein unterirdisches Labyrinth eingetreten, wandert das Echo des Wasserplätscherns aus den vielen Brunnen hin und her, Brunnentröge aus Granit, einstige Särge aus römischer Zeit. Flüche und Schreie der Tagesgeschäfte sind verstummt, aber plötzlich höre ich die leichtfüßigen Schritte hinter mir, mit den unregelmäßigen kleinen Hüpfern, die Schritte des Kindes, das Orion mir anvertraute wie einen Traum.

3

Die Kastanien am Waldrand sind so licht, daß ich beim Näherkommen jeden einzelnen Bogen der drei übereinanderliegenden Loggien erkennen kann, auch etwas beunruhigt feststelle, daß nirgends in der ehemals herrschaftlichen Villa eine Lampe brennt. Der ebenerdige Raum der Wirtschaft war um diese Zeit meist verlassen, aber im oberen Stockwerk sah man dann aus einem der Zimmer eine schwache Helligkeit in die mittlere Loggia fallen, die in doppelt so viele Bogen gegliedert ist und dem Säulenakkord der Gartenfassade jede Schwere nimmt. Wo ist nur der Wirt? Vielleicht finde ich keinen Schlüssel unter dem Stein und bleibe für diese Nacht, vor der verriegelten Totenkapelle und einem verschlossenen Haus, ausgesetzt zwischen Leben und Tod. Aber dachte ich denn überhaupt zu schlafen? Versunkene Szenen, Stimmen stürmen hoch. Und jähe Furchtlosigkeit. Entwaffnet, beginne ich Orion, wie ich das mit allen vertrauten Toten tue, zärtlich ruhelos zu bedrängen, jetzt, da du alles weißt, sag, was ging damals vor?

Nur das Knarren dürrer Kastanienäste antwortet. Die eben noch blitzartig erleuchteten Szenen erlöschen, die Stimmen verstummen, das Leben Orions hat sich zusammengezogen in seinen verbeulten Fiberkoffer. Wenn die rostigen Schnappschlösser endlich mit Widerstand aufspringen, bleibt nichts davon übrig als der beißende Zigarettengeruch, der alles in Orions Nähe durchdringt, Mantel, Hut, Skizzen, Planrollen. Zigarettenasche nistet noch immer im Innern des Koffers, oder zerkrümelt das unbeschriftete Notenpapier, mit dem er ausgeschlagen ist, bräunlich blättert es an manchen Stellen ab. Etwas mottet im Koffer weiter. Sind es die zerschlagenen Hoffnungen der Entwürfe? Vielleicht hat dieses vergilbte Notenpapier im Kofferinnern Orion auf die Titel zu seinen Arbeiten gebracht. Der Fiberkoffer hat ein ungewohntes Längsformat, auch ein Musikinstrument, eine Oboe, eine Klarinette fände darin Platz, doch vor allem wurde er zum Aufbewahrungsort der ersten Entwürfe, festgehalten in jenen Augenblicken, da einen auf einmal ein leises Summen erfaßt, wie die durcheinanderschwirrenden Töne eines sich einstimmenden Orchesters, und man vor lauter glücklicher Unruhe abrupt aufstehen und umherlaufen muß. Je aussichtsloser zum vorneherein ein Wettbewerb war, desto klangvollere Titel wählte Orion für seine Modelle, immer rief er entsprechend dem Bauort die Flüsse, selbst die kleinsten, als seine Siegesgöttinnen an, so entstanden Il Canto della Melezza, della Breggia, della Sementina, della Magliasina, warum nur fiel unter den anonymen Eingaben der verzweifelte Sänger nicht auf? Wir hatten uns entschieden zu spielen und folgten den verklingenden Melodien, unserem einzigen Leben, jenseits aller Vernunft.

Hie und da veranstaltete Orion, je nach Wasserlauf des angerufenen Flusses, eine Untergangsfeier für das ausgeschiedene Modell. Er wollte nicht alle diese Kuben aus Plexiglas in seinem Arbeitslokal stapeln, ein Modell über dem andern, verstummte Vögel, eingesperrt in ihren Käfigen. Dann kauerten wir beim Eindunkeln am Ufer eines Flußbetts, zwischen uns das Modell, von seinem Glaskubus befreit, nur noch auf einer Platte befestigt, ein Observatorium, ein städtischer Platz, ein Turmhaus, und das Kind stopfte Seidenpapier in alle möglichen Ritzen. Orion trug das Modell schwankend, stolpernd, fast hinfallend zum Wasser und legte das Feuer. Er versetzte dem Modell einen Stoß, es loderte sofort auf, begann sich zu drehen und trieb flußabwärts, der Flammenschein tanzte auf den dunklen Wasserschnellen, am Ufer winkte und jauchzte das Kind. Rote Glut färbte auch den Abendhimmel, das brennende Modell überschlug sich und versank oder wurde von einem Hindernis aufgehalten, bevor es, ein immer schwächeres Irrlicht, in der Ferne verschwand. Irgendwo stand schwarz eine Zypresse, flutete Neonlicht aus einer Industriehalle die Autobahn, ein Güterzug raste an einer menschenleeren Station vorbei.

4

Wie lange stehe ich schon vor der lichtlosen Villa? Etwas in mir zögert, unter dem besagten Stein nach dem Schlüssel zu sehen. Wieder und wieder lasse ich den Blick über die Gartenfassade schweifen, die dreigeschossigen Loggien mit der ungleichmäßigen Folge von Intervallen, ein Anblick, der mich so oft mit einem weitausschwingenden Gefühl der Freude erfüllt hatte, als hörte ich die Anfangsklänge einer Symphonie. Jetzt schweigt alles. Die Stille im Innern der Totenkapelle herrscht auch hier. Ich sehe Orion vor mir, die scharf geschnittenen Gesichtszüge, die hohe Stirn, die stark gewölbten Brauen, die Augen geschlossen in den tiefen Höhlen. Sein Kopf ruht reglos auf einem weißen Kissen. Zu wem nur gehören diese Atemzüge, laut und entsetzlich, ein Röcheln, ein Rasseln, bald stockend, bald beschleunigend? Versteckt hinter Maschinen und Apparaturen muß ein Raubtier hocken. Ein Netz von Kanülen ist über Orion gebreitet, er ist betrunken gegen eine Mauer gerast, aber sie haben Orion dem Tod entrissen, die feinen durchsichtigen Kanülen verschlingen sich mit seinem blutverklebten langen schwarzen Haar, es sind die verletzten, noch zuckenden Tentakel einer riesigen bleichen Qualle, gestrandet am Meeresufer. In jener Nacht habe auch ich den Tod durchquert. Liegt das alles weit zurück? Wie oft sterben wir.

Ich verlasse nun doch den Garten und gehe auf die Nordseite der Villa, ohne im geringsten auf ein erhelltes Fenster zu hoffen. Das schwere Eingangsportal unter dem steinernen Rundbogen wirkt so schwarz, daß es auch offen sein könnte, nahtloser Übergang der Nacht ins dunkle Hausinnere. So rhythmisch bewegt und luftig die Südfassade, so streng und abweisend in ihrer Geschlossenheit die Nordfront. Und doch ist ihr Anblick noch unauslöschlicher in mich eingeprägt. Risse wandern wie Spinnweben über den Verputz, da und dort wölbt er sich kaum merklich, von Ameisen unterwandert, von Flechten überzogen. Fiele Sonnenlicht darauf, weckte es Strukturen und Schattierungen in den verfallenden Mauern. Wenn ich sie betrachte, werde ich ruhig. In alten Häusern wird man jung. Sie haben Jahrhunderte vor uns gedauert, sie speichern das Leuchten erloschener Augen, nächtliches Weinen und aufgeregtes Erwachen, die Wärme gemeinsamer Mahlzeiten, die Stille versöhnlicher Gesten. Sie sind Gegenräume zur verrinnenden Zeit. In Neubauten lauert ein unerkannter Schrecken. Wir sind plötzlich alt, wenn wir sie betreten. Sie werden uns erbarmungslos überleben.

In den Palmen, welche die Villa flankieren, beginnt es hoch oben in den Wipfeln zu rascheln. Die Zitronenbäumchen in den Töpfen sind ganz unbewegt, aber das Geräusch der Palmenblätter steigert sich zu einem vernehmlichen Knattern. Zurück in der

Gartenloggia hebe ich den Stein auf, unter dem sich jeweils der Schlüssel befindet. Ein Gewimmel von aufgestörten Kellerasseln jagt auseinander, mehrere fallen dabei auf ihren Rückenpanzer, undeutlich sehe ich sie mit den fadendünnen Beinchen zappeln. Der Schlüssel fehlt. Im Schutz der Loggia stehen immer noch die Rattansessel aus dem einstigen Hotel Washington in der Stadt. Von ihrem Panamaweiß geht ein matter Schimmer aus. Der Wirt hatte damals alles daran gesetzt, sie bei der Versteigerung des Hotelmobiliars zu erwerben, Sessel um Sessel transportierte er im offenen Kofferraum seines Fiats hinauf in die Villa am Waldrand, Leute vom Dorf hatten sich inzwischen auf dem ovalen Platz unter den Bäumen eingefunden und empfingen jeden einzelnen mit Willkommensgeschrei, das sich mit der wachsenden Anzahl frenetisch steigerte. Aufgesprungene Pinienzapfen liegen auf der Sitzfläche der Rattansessel, tote Fliegen, dürres Laub. Zerstreut drücke ich die Klinke der Glastür zum Gartensaal. Sie ist nicht geschlossen.

Meine Überraschung ist so groß, daß ich nicht einmal den anderen Türflügel aufhalte, der sogleich den Eintritt in den Saal freigibt. Mühelos nun doch ins Haus eingelassen, werde ich vom Gedanken an Orion, allein in der Totenkapelle, überfallen. Auf der Schwelle zum Gartensaal kann ich mich nicht mehr gegen das Schluchzen wehren, das aus einer nie gekannten Tiefe aufsteigt, konvulsivisch, unverstandener Schmerz. Blind vor Tränen stehe ich im Dunkel. Erst nach einiger Zeit suche ich die weißen Rattansessel zu erkennen, die der Wirt auch im Gartensaal den Wänden entlang gruppiert hatte. Die Anordnung ist unverändert. Immer noch ist die Saalmitte frei, für den Fasnachtsball, einen Hochzeitstanz, eine Tombola. Bei sommerlichen Platzregen oder während der berüchtigten pfingstlichen Regengüsse tauchten manchmal Radrennfahrer auf, die, des klatschnassen Herumflitzens an den steilen Talflanken überdrüssig, Schutz für ihre Fahrräder begehrten und diese einfach mitten im Gartensaal pausieren ließen. Früher, als noch ausgiebiger und heftiger getanzt wurde, fanden alle Bälle im Festsaal des Obergeschosses statt. Bereits vor vielen Jahren, als bei dem Gestampfe und Getrete immer mehr von den Stuckverzierungen der Gartensaaldecke herunterfiel, schloß der Wirt den Festsaal und richtete sich selbst dort ein. Die Zimmer in den beiden Seitentrakten wurden nun ausnahmslos für Übernachtungen genutzt. Den Festsaal habe ich nie gesehen.

5

Ich bin in einem der Rattansessel eingenickt. Haben mich Schritte geweckt? Mit einem Mal weicht alle Müdigkeit von mir. Wach blicke ich in das dunkle

Licht, mit dem die Februarnacht den Gartensaal durchdringt. Morgen kommt das Kind, das längst erwachsene, dem alle tiefe und bedingungslose Trauer zusteht, aus der fernen Großstadt. Und ich werde nicht mehr schlafen. Noch einmal werde ich auf das Unbegreifliche zugehen und es umarmen. Ganz klar sehe ich jeden einzelnen der mattweißen Sessel, die beiden Fresken, auf der östlichen und westlichen Saalwand, den Marmorkamin mit den herausgerissenen Sitzen. Aus dem Garten ist ein leises Scharren, Fiepen und Piepsen hörbar. Ich stehe auf, plötzlich beherrscht von versunkenen Sätzen: Der letzte Akt ist blutig, so schön die Komödie auch in allem übrigen sein mag. Schließlich wirft man uns Erde aufs Haupt, und das ist für immer.

Der Wirt muß nach Sizilien gegangen sein. Alles atmet jene belebte Verlassenheit, die in alten Häusern entsteht, wenn die Gegenwart erlischt und das Vergangene Raum gewinnt. Merkwürdig ist nur, daß der Gartensaal nicht geschlossen ist. Schläft jemand in einer der Gästekammern der Seitentrakte? Ich werde nachschauen, in und unter den Betten, das unterließ ich auch früher nie, wenn ich im obersten Stockwerk im sogenannten Himmelszimmer übernachten durfte. Serafina im Dorf, mit der ich nach dem Dreikönigstag telefonierte, hatte von seltsamen Ereignissen aus ihrem hinter der Grenze liegenden Tal berichtet. Sie stammte aus einer der höher gelegenen Ortschaften dort, in der jeweils in der Dreikönigsnacht mit Tanz und einem Mitternachtsmahl die Fasnacht eröffnet wurde. Der erregendste Augenblick war immer dann, wenn gegen Ende des mitternächtlichen Mahls die Saaltüren aufgingen und die Hauptgestalten der Fasnacht, die Schönen und die Häßlichen, maskiert sich hereindrängten. Serafina half wie jedes Jahr ihren Nichten, deren Männer zu der Fraktion der Schönen gehörten, bei den aufwendigen Vorbereitungen, dem Ausstopfen und Verzieren der imposanten Büste, dem Schmücken des Strohhutes, dem Befestigen der bunten flatternden Bänder. Sie waren unversehens in Zeitnot geraten, da die Nichten beschlossen hatten, die verblaßten Stoffblumen für die Strohhüte, Margeriten, Anemonen, Maiglöckchen, Nelken, mit Plastikblumen zu ersetzen, sich beim Annähen derselben jedoch dauernd in die Finger stachen und entsetzt die Blutspuren beseitigen mußten, bis eine der Nichten ausrief, und überhaupt, sieht das jetzt nicht aus wie ein Grabstein an Allerheiligen?! In der Aufregung waren die stolzen Fasanenfedern, das Prunkstück eines jeden Hutes, achtlos unter den Tisch gefallen, und als sich die Nichten nach ihnen bücken wollten, hatte sie der Kater bereits zerfetzt.

Ziemlich aufgelöst und schwitzend trotz der Frostnacht trafen Serafina und ihre Nichten schließlich im Tanzsaal ein, wo sie am einen Ende des langen, mit weißem Papier überzogenen Tisches gerade noch

Platz fanden. Das Mitternachtsmahl war in vollem Gang, die Polenta dampfte in den Schüsseln, und der Lorbeerduft des Kaninchenragouts stieg ihnen besänftigend in die Nase. Serafina war bald so in ihr Essen vertieft, daß sie nicht einmal bemerkte, wie sich die Flügeltüren des Saals öffneten. Erst als das beim Eintreten der Maskierten sonst leise Geraune und Gelächter stark anschwoll, schaute sie auf. Die Schönen waren von einer derart großen Anzahl von Häßlichen begleitet, daß sie unmöglich alle aus dem Dorf sein konnten. Auch trugen nur wenige unter ihnen die übliche Holzmaske, deren Ausdruck roh, abstoßend und düster ist, in allem der Gegensatz zu den hochmütigen Masken der Schönen mit dem mokanten Lächeln. Viele der Häßlichen hatten nur Stoffetzen, in die Augenschlitze und Mundlöcher eingeschnitten waren, ums Gesicht gebunden.

Am Telefon erzählte mir Serafina ausführlich davon, welch seltsame Stimmung sich gegen Mitternacht allmählich im Saal ausgebreitet hatte. Es wurde immer stiller, und eine Art Beklemmung ergriff die Essenden. Zwar schwangen einige der Häßlichen wie stets ihre ramponierten Reisekoffer und schlugen mit ihren Fuchsschwänzen auf die Tische, daß die Gabeln tanzten, aber die Fröhlichkeit, mit der man jeweils die Häßlichen empfing, war eigenartig gedämpft. Es waren zu viele. Wo kamen sie nur her? Freudig hatte man sie in jener Mitternachtsstunde immer begrüßt, als kehrten in den abgerissenen Gestalten die verstorbenen oder verschollenen Auswanderer zurück. Keine Familie im Tal, die nicht einen Emigranten zu den ihrigen zählte. Als Maurer, Steinhauer, Stukkateure schwärmten sie in alle Teile Europas und bis nach Übersee aus. Einige tauchten regelmäßig in den ersten Dezembertagen wieder auf und blieben bis zum letzten Fasnachtsball, andere verschwanden spurlos. Die Schönen unter den Maskierten schienen sich nicht um die vielen Häßlichen zu kümmern, mit erhobenem Kopf, spöttisch und unnahbar, machten sie sich gegenseitig ihre Referenzen.

Serafina kam gar nicht mehr dazu, sich um die Wirkung der Plastikblumen und der fehlenden Fasanenfedern ihrer Schönen Gedanken zu machen, so sehr war sie vom Verhalten der Häßlichen gebannt. Die Maskierten mußten stumm bleiben, die Schönen wie die Häßlichen, was den leichten Schauder wie vor zurückgekehrten Toten noch verstärkte, und nicht ohne Respekt bot man ihnen am Tisch einen Platz an. Jetzt aber drängten sich viele der Häßlichen, ohne eine Einladung abzuwarten, zu den Schüsseln mit Polenta und Kaninchenragout, ergriffen irgendeinen Löffel oder eine Gabel und begannen, ebenso zurückhaltend wie gierig, unverzüglich zu essen. Fuhren sonst die Häßlichen während des Mitternachtsmahls fort, sich grob und unflätig zu benehmen, schienen diese in Lumpen gehüllten Gestalten auf einmal alles außer dem Essen zu vergessen. Immer mehr Leuten vom Dorf fiel die ungewohnte Anständigkeit der Häßlichen auf. Bald waren die Schüsseln geleert, das weiße Papiertischtuch verkleckert und eingerissen, ein Schnapsglas rollte am Boden. Alle starrten nur noch schweigend auf die Häßlichen.

Beinahe wäre Serafina die Stille im Saal entgangen, da ihre Aufmerksamkeit durch etwas, das plötzlich am Arm des Häßlichen neben ihr aufblitzte, gefesselt wurde. Der Ärmel der speckigen Daunenjacke, die er unter den Lumpen trug, war beim Essen nach hinten gerutscht und gab eine überdimensionierte Armbanduhr frei. Serafina suchte vergebens nach einem verständlichen Zifferblatt mit Zahlen, obwohl in der Mitte zwei Zeiger erkennbar waren, die allerdings eher zwei Rüstmessern glichen. Um diese herum waren andere Zifferblätter mit Zeigern gruppiert, alles sah wie ein kleines Schaltwerk aus, das ein regelmäßiges oranges Blinken aussandte, während die Zifferblätter nachtblau waren und das Armband ein Army-Design aufwies. Erst als Serafinas jüngste Nichte, die auf der anderen Seite des Häßlichen saß, ruckartig aufstand, hob sie den Blick und nahm die Stille im Saal wahr. Im selben Augenblick bemerkte sie flüchtig, doch überdeutlich, die dunkle Hautfarbe ihres Tischnachbarn, der inzwischen die schmutzigen Gummihandschuhe, welche die meisten Häßlichen trugen, rasch wieder über die Armbanduhr gestülpt hatte. Meine jüngste Nichte aber, sagte Serafina, wandte den Kopf und schaute mich, indem sie stehenblieb, wortlos an. Auch sie hatte zweifellos dieselbe Entdeckung gemacht, und in ihren Augen stand ein Wissen, das langsam alle im Saal erfaßte, unaufhaltsam und unabänderlich. Unter den Verkleideten mußten Flüchtlinge und Migranten sein, nicht aus der Vergangenheit und nicht aus dem Totenreich, sondern aus der nahen Umgebung, und saßen, als hätten sie immer dazugehört, mit ihnen beim Mitternachtsmahl.

6

Serafina ist auch jetzt über die Fasnachtstage in ihr Tal gegangen. Was für eine Zeit zum Sterben, Orion! Ich sehe ihn wieder, beim fasnächtlichen Risottoessen im Freien, mitten unter den Dorfbewohnern sitzen. Es geht hoch zu und her, der heiße Risotto wird über die Köpfe hinweg ausgegeben, die Wintersonne brennt schon frühlingshaft, die Kinder bewerfen die Essenden von hinten mit Papierschlangen, Konfetti und Plastikspinnen, auch unser Schweinchen trollt sich mit ihnen zwischen und unter den Tischreihen umher. Ob es nichts bemerkt hat? Orion ist völlig ungeschminkt, in seinem langen schwarzen Mantel, den Kopf ungerührt zur Sonne erhoben, alles an seiner Haltung drückt Askese und Distanz zum allgemeinen Übermut aus. Erst als der Risottokoch, während des Umrührens im Kessel, auf Orion blickt und kurz innehält, sehe ich etwas Feuerrotes zwischen Orions dunklem Haar glänzen. Es wachsen ihm zwei Hörner aus dem Kopf! Diskret, aber unzweifelhaft. Zwei Satanshörner. Noch ist Orion ganz schöner Luzifer, strahlender Empörer. Er verschmäht den Risotto, als immaterielles Geschöpf braucht er keine irdische Speise, aber aus seinem Kopf stoßen schon die feurigen Hörner. Außer dem Risottokoch hat es niemand entdeckt. Und das Schweinchen? Es rennt gerade, indem es dauernd die trotz des verkürzten Gummibandes viel zu große Schweinsmaske hochstupst, so wie ein angetrunkener Alter sein Kinn stützt, zur Schaukel auf der Wiese hinter den Tischreihen und schwingt sich mit quietschenden Jubellauten in die Luft.

Hinter der Glastür des Gartensaals stehend, schaue ich in die Nacht hinaus. Wenn jetzt Juni wäre! Dann würde der blühende Ginster selbst noch die Dunkelheit erhellen. Der Wirt hat den Renaissancegarten völlig vom vordrängenden Ginster überwuchern lassen. Er half sogar kräftig nach, indem er mehrmals aus Sizilien jungen Ätna-Ginster mitbrachte und diesen in die letzten noch vorhandenen niederen Buchsrondelle pflanzte. Diese Ginstersträucher schossen zwar nicht wie in der Vulkanerde zu ihrer ganzen Höhe und Fülle aus, auch raubte ihnen der nahe Kastanienwald zu viel Licht, aber ihren Samen schleuderten sie so freigebig in die Luft, daß der Garten im Vorsommer zu einem flammenden Ginstermeer wurde. Dann stahl ich mich manchmal in der Mittagswärme mit dem Kind zur Villa hinauf, und noch immer sitzen wir zwischen den Sträuchern und warten auf das Knistern, wenn ein Insekt in einem Blütenschiffchen zu rumoren beginnt, bis dieses platzt mit einem Knall und der eingerollte Griffel hochschnellt. Einmal steht plötzlich der Wirt vor uns, ohne über unser stilles Kauern zwischen dem Ginster überrascht zu sein. Haben wir nicht bald eine richtige Plantage! ruft er, heute in der Frühe sah ich im Dunst vor mir die leuchtend gelben Hänge Siziliens, die zum Meer abfallen, in den schlimmsten Hungersnöten haben die Leute die Ginsterwurzel gegessen, aber auch Schiffstaue aus den fast unzerreißbaren Fasern gedreht. Warum schaut mich der Wirt so an? Wer nichts mehr hat, wandert bis zum Meer, fährt er fort, das Meer ist Freiheit oder Friedhof.

Noch in dieser kalten Februarnacht glaube ich, die Ginsterbüsche leuchten zu sehen, ihr unruhiges Flakkern, oder ist es ein anderer Feuerschein, der auf dem Grund unserer Gedanken nicht mehr verlöscht? Es sind die Feuer auf der Insel Lesbos, welche die ankommenden durchnässten Flüchtlinge anzünden, längst haben sie alle Sträucher am Strand ausgerissen, jetzt verbrennen sie den Plastikmüll, dicker giftiger Qualm hüllt sie ein, da und dort bläht sich eine der goldfarbenen Thermofolien im Wind oder sendet durch den schwärzlichen Rauch ein Blitzen aus. Orion will im Feuer bestattet werden. Es paßt so gut zu ihm, dieses lodernde Vergehen. Nochmals von brennendem Licht erfüllt sein! Bis in die Fingerspitzen. Orion liegt im dünnen Seidenanzug im Sarg, dessen Schwarz seit langem in ein Aschgrau übergegangen ist, Orions Hochzeitsanzug, letztes fadenscheiniges Prunkstück seiner Garderobe, in das Futter ist unsere Liebe eingenäht, die wir einmal beschworen, stark wie der Tod zu sein. Orions Platz ist dann der oberste in der Urnenwand auf dem Friedhof, das steht schon fest, als würde sich ein Traum verwirklichen, den er uns eines Morgens erzählte. Er, der sonst weit in den Tag hinein schlief, stand plötzlich an unserem Frühstückstisch, auf den durch das offene Fenster die scharfen Sommerschatten hereinfielen, und von der Nachbarin gegenüber drang der Duft von eingekochten Johannisbeeren zu uns. Ich weiß jetzt, wie Sterben ist, sagte Orion ruhig, ich habe im Traum riesige Kathedralen gesehen, aus toten durchsichtigen Seelen gebaut, die Türme, die Portale, die Fassade, das Strebewerk, alles durchsichtige tote Seelen, eine über die andere geschichtet, und auch ich mußte mich zuoberst auf eine solche durchscheinende Mauer legen. Ich blickte wortlos auf das Kind, es rührte sich nicht. Es hatte eine traumwandlerische Fähigkeit entwickelt, von einer Wirklichkeit in die andere hinüberzuwechseln. Da schoß eine Wespe herein, wohl angezogen vom betäubend süßen Duft der Johannisbeeren, irrte zwischen uns herum, hielt kurz in der Luft inne, waagrecht wie ein kleiner Helikopter, bevor sie zur Nachbarin jagte, dort am unterdessen geschlossenen Fenster abprallte, wieder zu uns zurückkehrte und sich auf unserem Frühstückstisch niederließ. Das Kind nahm ein leeres Glas und stülpte es zielsicher über die wütend aufsummende Wespe.

Die Urnenwand ist Serafinas Domäne. Sie bildet zugleich die Ummauerung des Friedhofs und liegt tiefer als die übrigen Grabstätten, so daß man nur über eine steile Steintreppe dorthin gelangt. Dieser Umstand allein schon stachelte Serafina an, sich in ausgleichender Gerechtigkeit dieses unteren Friedhofsteils anzunehmen. Auf der oberen Terrasse befinden sich zwar keine pompösen Monumente, aber eben doch viele Familiengräber, verehrt und geschmückt, ganze Grabkapellen, manche mit schmiedeisernen Eingangstoren, teilweise verwittert und vermoost, aber immer noch Würde ausstrahlend. Bei den Urnengräbern hingegen trifft man auf Einsame, noch zu Lebzeiten Vergessene, jung Verunglückte, Atheisten, mittellos Gestorbene, Querulanten. Auf Allerheiligen stellt Serafina jedes Jahr Blumen und immergrüne Zweige, die sie beim Wasserfall findet, vor die Urnenwand. Auch Orion, an seinem Platz zuoberst, wird unter ihrer Schirmherrschaft stehen. Alle im Dorf erinnern den Aufruhr, den Serafina einmal an Allerheiligen bei der nachmittäglichen Segnung der Gräber veranstaltete. Wir hatten uns auf dem Friedhof versammelt, jeder stand still bei seinen Toten, manchmal schaute jemand gedankenverloren zu dem gewaltigen Bergmassiv auf. Die Litanei war verklungen, der Pfarrer war schon mit dem Segnen der Gräber auf der oberen Terrasse beschäftigt. Jetzt war er bei der letzten Gräberecke angelangt, eine kleine Chorgruppe hatte inzwischen einen Gesang angestimmt, ob dieser den Pfarrer in einen plötzlichen uns unerklärlichen Enthusiasmus versetzte? Jedenfalls machte er eine schwungvolle Drehung und wollte stracks zum Friedhofsausgang eilen. Da stellte sich ihm Serafina, die auf dem Treppenabsatz zur unteren Terrasse gestanden hatte, wie eine Barrikadenkämpferin in den Weg. Und wir?! rief sie aufgebracht, und wir da unten?! Der Pfarrer starrte sie, das von seinem beschwingten Gang immer noch schwankende Weihwassergefäß in der Hand, verdattert an. Serafina streckte gebieterisch ihren Arm gegen die untere Terrasse aus. Dort drängten sich, als befänden sie sich auf einer niedrigeren Stufe des Läuterungsberges, die Angehörigen der Urnengräber zusammen. Angesteckt von Serafina regte sich nun unter ihnen ein wahrer Tumult, sie forderten mehrstimmig und laut die vergessene Segnung ihrer Toten. Der Pfarrer begab sich, mit viel zu hoher Stimme wie zur Beschwörung ein lateinisches Gebet rezitierend, zum Treppenabsatz und segnete von dort aus sicherer Distanz die Urnenwand, er verspritzte dabei viel mehr Weihwasser als üblich, ja, er wollte mit Besprengen gar nicht mehr aufhören, am Ende spritzte er mit großen Würfen auch noch die Angehörigen mit Weihwasser ab, was diese stoisch über sich ergehen ließen. Nur die Schwester eines Verunglückten, in einer schwarzen Rockerjacke, wischte sich mit dem Handrücken den Mund ab und verschmierte dabei den dunkelroten Lippenstift.

Noch lange rätselten wir, sagte Serafina am Telefon, wie die Flüchtlinge und Migranten in jener Dreikönigsnacht sich so unbemerkt unter die Maskierten hatten mischen können. Jemand mußte ihnen vom warmen Mitternachtsmahl erzählt und einen der verlassenen Ställe verraten haben, wo die Häßlichen sich jeweils in aller Hast verkleiden, die Hemden mit Lumpen und Heu ausstopfen, die Felle von Schafen umbinden und auseinanderfallende Koffer von den Dachböden mit Schnüren umwickeln. Daß sich die Fremden so listig und selbstverständlich in eines ihrer Feste eingeschlichen hatten, erschien einigen nahezu als Frevel, andere lachten über den komödiantischen Einfall, jedenfalls wagte niemand in jener Nacht, sie auch nur anzufassen. Und du? fragte ich Serafina. Am Telefon entstand eine kurze Pause. Es nützt nichts mehr, sie wegzudenken, sagte Serafina trocken, sie sind da.

Mit dem Rücken zum Garten suche ich Einzelheiten auf dem westlichen Wandfresko zu erkennen. Daß sich in dieser Renaissancevilla so nah an der italienischen Grenze ein Fresko der Tellskapelle befindet, hat mich oft erheitert. Ich halte es in Ehren, aus verschiedenen Gründen, sagte der Wirt einmal maliziös. Etwas war merkwürdig an dem Fresko. Nie aber war ich der leichten Irritation, die es auslöste, nachgegangen. Ich schalte die Taschenlampe meines Handys an und nähere mich der Wand. Eindeutig stimmt die Formation der Berge nicht. Das ist jedoch, sei es in Unkenntnis der Gebirgslandschaft oder aus dem Willen zur Dramatisierung heraus, bei einem Freskomaler nichts Ungewöhnliches. Frappanter ist die Darstellung der Tellskapelle selbst. Die zum See hin offene Halle ist im Innern vollkommen leer! Nichts von den berühmten Szenen, kein Apfelschuß, kein Tellssprung, kein Tyrannenmord. Nur kahle Wände. Allerdings weist diese gemalte Kapelle ein Gitterwerk bis unter das Dach und die frühere Glasverkleidung auf, die längst entfernt wurden. Dem Freskomaler ist diese Glasverkleidung vielleicht höchst willkommen gewesen, so brauchte er sich nicht um die sagenhaften Ereignisse zu kümmern. Allein die Lichtreflexe des Sees, der von einem tiefen Indigoblau ist, sollten sich im Glas widerspiegeln.

Doch was ist nur mit diesen Bergen! Verwirrend genug, daß sie weder von felsigem Grau noch dem Seeufer entlang begrünt sind, sondern im selben intensiven Blau übergangslos die Wasserfläche fortsetzen, sie gleichen auch in keiner Weise den Bergen bei der Tellskapelle. Werden diese auf älteren Darstellungen oft absichtsvoll noch zahlreicher hintereinandergestaffelt, wilder und höher aufgetürmt, so stehen die zwei Doppelgipfel auf dem Wandfresko frei nach allen Seiten hin. Ruhevoll breiten sie ihre Flanken aus, bis hinunter zum See. Aber welch seltsame Wolke lagert über dem einen Gipfel! Eine düstere Gewitterwolke? Ungläubig lasse ich den Schein meiner Taschenlampe darüberwandern. Vor meinen Augen versinkt die vertraute Kindheitslandschaft, und ein Inbild jeder Sizilienreise steht vor mir, oft in der Ferne erspäht, manchmal noch von Schnee schimmernd, tausendfach gemalt, auf Schränken, Kommoden, Schüsseln, Votivtafeln. Der Ätna! Und die in dunklen Schlieren sich verlierende Wolke ist eine Aschewolke und schwärzt den indigoblauen Horizont mit Unruhe.

Mit der noch angezündeten Taschenlampe wende ich mich um und verdecke rasch den Schein mit der Hand. Eine diffuse Röte steigt hinter dem Garten auf. Nach dem ersten Erschrecken fällt mir ein, daß ich dieses rötliche Licht oft hier im Winter gesehen habe. Es ist der Nebel, der nachts aus der Tiefe steigt, über den ovalen Platz mit den Bäumen hinwegweht, von den Scheinwerfern der Kirche angestrahlt wird und den blaßroten Verputz der Fassade reflektierend wie ein Feuerschein über dem Dorf bleibt. Ich muß an die Heimkehrträume so vieler Ausgewanderter denken. Wie oft waren es vielmehr Angstträume. Das Alpenglühen rückt aus und geht um das Vaterland herum! Hinter mir ist die Tellskapelle in die Dunkelheit zurückgewichen. Ich schalte die Taschenlampe aus und taste mich zu einem der Rattansessel vor. Als Sitzkissen liegt eine Wolldecke darin. Plötzlich erschöpft, falte ich sie auseinander und hülle mich sorgfältig darin ein. Ich habe nicht im Sinn, mich diese Nacht noch einmal aus dem Sessel zu erheben. Wie wenig trifft auf mich zu, was man manchmal hört, daß ein naher Tod die Zurückbleibenden mit verzweifelter Lebendigkeit erfülle. Jeder Tod schaut mich an mit meinen eigenen Augen. Und jeder Tod nimmt ein Stück von mir fort, lockert die Lebenswurzel, macht das Gespinst der Daseinsverbindungen brüchiger und durchsichtiger. Nur der Blick darauf: Wie wächst in ihm schmerzlich das Feuer!

II

MITTERNACHT

I

Vor dem Einschlafen hätte ich gern noch die Hände gewaschen. Aber dazu müßte ich in den oberen Stock hinaufgehen, in das Badezimmer mit dem ochsen- blutfarbenen Steinboden. Ich fürchte mich ein wenig vor der Seife dort. Über dem Lavabo mit einem robu- sten Metallschildchen befestigt, ragt sie an einer Stan- ge aus der Wand heraus. Le Comptoir de Famille steht darauf, die Seife muß in der Tat ganzen Generationen gedient haben und scheint immer noch unerschöpf- lich. Uralt, von einem trüben Weiß, voller bräunlicher Adern und Sprünge, halb spröde, halb glatt, ist die Seife ein amputiertes Bein, das sich einem entgegen- streckt. Es läßt sich langsam drehen, aber die venen- artigen Risse, die fächerförmig die Oberschicht durch- ziehen, werden dabei nur noch menschlicher.

Ist es möglich, daß neben meinem Kopf etwas über die Wand gehuscht ist? Noch im Dunkeln glaube ich, die zuckelnde Fortbewegung erkannt zu haben. Aber wieso soll jetzt im Februar ein Tausendfüßler aus einer Wandspalte herauskriechen? Zur Herbst- zeit, wenn ich wieder einmal mit dem Kind in die Vil- la am Waldrand geflüchtet war und wir im Himmelszimmer übernachteten, waren Tausendfüßler oft unsere Gefährten. Noch bevor ich die Nachttischlampe ausknipste, atmete das Kind meist schon ruhig im Schlaf, aufgehoben auch es durch mein jähes Geborgenheitsgefühl im Himmelszimmer. Während ich noch ein wenig die Decke betrachtete, die ihr lichtes Blau längst eingebüßt hatte und von den vielen Wasserschäden durch den offenen Dachstuhl wie von Gewitterwolken eingedunkelt war, schlüpfte nicht selten zwischen den Blasen der abblätternden Farbschicht ein Tausendfüßler hervor. Aufgescheucht durch das Licht der Lampe, irrte er nah an uns vorbei über die Wand. Die zwei gewinkelten Antennen am Kopf zuckten nervös, ich konnte die exakt sich überlappenden Rückenschilder sehen, aber jetzt gerieten ihm die erstaunlichen kleinen Beinreihen durcheinander, fast hätte er sich überschlagen, wenn er nur nicht auf das Kind fiel! Aber da war er schon, mit den aggressiven und flinken Bewegungen einer Schlange, in der nächsten Wandritze verschwunden. Vom Garten her war nur noch das leise Knattern der Palmen zu hören. Niemand mehr konnte uns etwas anhaben. Ich löschte das Licht und überließ mich dem Dunkel. Und in dem Maße, wie ich langsam in den Schlaf sank und alles vergaß, den tobenden Mann im Dorf, seine herausgeschriene Verzweiflung, die zukrachenden Türen, wuchs in mir noch gestaltlos, doch unabweisbar die Weigerung, Furcht zu empfinden vor dem liebsten Menschen.

Ich ziehe die Wolldecke näher um meine Schultern. Diese Angst im Zusammensein, dieses immer und überall lauernde Unerwartete, ich war ihm nicht gewachsen. Was mich einmal begeistert hatte, bedrohte mich nun. Verwirrt über mich selbst, hörte ich nur noch auf eine Stimme in mir, älter als mein eigenes Leben, ungerecht und ungestüm: die Freiheit. Diese wilde Kraft, ebenso blind wie sehend, zu entkommen. Schon in längst versunkenen Epochen hat sie Völker auf die Wanderung getrieben, fort von Gewalt, ausgetrockneter Erde, Hunger und Krieg. Alles kommt vom Meer her, sagen die Sizilianer, Leben und Tod, und als Küstenbewohner, meinte der Wirt einmal, hätten sie jene unvoreingenommene Neugier allem gegenüber bewahrt, das übers Wasser zu ihnen gelange, eine erfinderische Wachheit, mit entstehendem Chaos, durchaus auch eigennützig, umzugehen. Tausendfüßler! Tausendfüßler! hätten die Kinder von Pozzallo jeweils gerufen, wenn auf dem Meer ein Schlauchboot mit Migranten auftauchte, und seien hinunter an den Strand gerannt, die Tausendfüßler kommen! Der Wirt hatte zuerst überhaupt nicht begriffen, wie die Kinder dazu kamen, solches in die Gegend hinauszujohlen, bis er in einer diesigen Nacht allein am Meer stand, als die Küstenwache mit ihren Scheinwerfern ein sich näherndes, vollbesetztes Schlauchboot beleuchtete. Rittlings saßen die Migranten auf den aufgeblasenen Außenseiten, ein Bein neben dem anderen baumelte ins Wasser, und auf die-

41

sen Seitenwülsten von hellem Gummi zeichnete sich jedes Bein überscharf ab, Turnschuhe, Stiefel, nackte Füße. Durch den Wellengang waren die Beinreihen, mochten sich die Migranten auch noch so aneinander festklammern, in beständiger zuckender Bewegung. Die Kinder hatten genau hingesehen.

2

Serafina fällt mir wieder ein, die während des Mitternachtsmahls auf das Skelettzifferblatt der Armbanduhr ihres vermummten Tischnachbarn starrte und dabei plötzlich seine dunkle Hautfarbe entdeckte. Keine Figur unter den Maskierten der Fasnacht zog mich als Kind unwiderstehlicher an als das Zigeunerweib. Angewurzelt blieb ich mitten auf dem Hauptplatz stehen, wenn aus einer der einmündenden Gassen der helle Klang aneinanderschlagender Metallplättchen sich näherte, der farbig leuchtende Rock auftauchte, die hochgereckte Hand mit dem Tamburin, die goldenen Monde und Sterne auf der schwarzen Mantilla blitzten und das Zigeunerweib schräg, doch unausweichlich auf mich zu tänzelte. Den Kopf leicht erhoben, die Augen auf der dunkelbraunen Larve kriegerisch schwarz und weiß umrandet, strahlt diese Figur eine gebieterische Autorität aus. Eine Fasnachtsorange von ihr zu bekommen war ein Entzücken wie Grauen erregendes Geschenk. Wenn das Zigeunerweib lockend die Hand mit der Orange schwenkte, wurde zwischen dem weißen Handschuh und dem Ärmelansatz des Kleids ein Stück behaarten Männerarms sichtbar. War es denn keine Frau? Aber diese enorme Brust unter dem Dreieckstuch! Und die roten Pluderhosen unter dem mit Fransen behangenen Rock! Auf einmal wurden mir auch die großen Schuhe verdächtig, die gewaltigen Sprünge, in die das Zigeunerweib unversehens verfiel, und ich sah nur noch den kräftigen Männerarm, dicht behaart. Dennoch blieb ich möglichst im Bannkreis des Zigeunerweibs. Zunehmend furchtloser schrie und bettelte ich mit den anderen Kindern um Orangen, keine Gestalt unter den Maskierten umringten wir so zahlreich wie diese fremdeste und zweifelhafteste.

Als das Kind und ich noch in dem Dorf unterhalb des Berges und der Wälder lebten, hinter denen die Grenze verläuft, tauchte eines Morgens im Winter eine junge Schwarze bei uns auf. Da sie an mehreren Tagen die Dorfgassen auf und ab lief, dachten wir, sie suche eine Wohnung. Sie trug immer Kopfhörer und über die Schulter gehängt eine breite Tasche mit glänzenden Metallbeschlägen. Wenn man den Weg der jungen Frau kreuzte, war es unmöglich, an dieser Tasche vorbeizukommen, man wurde von ihr in der engen Gasse an die Hausmauer gedrückt. Die Zugezogenen aus Portugal und dem Balkan mieteten am Anfang meist eine der düsteren Wohnungen im Dorfinnern, bis sich ihre Situation verbesserte und sie diese verließen. Dann blieben die mit Klebstreifen abgedichteten Fenster wieder dunkel, kein Wasserdampf beschlug die Scheiben, kein Geruch von Knoblauch und Peperoncino drang heraus, keine dramatischen Töne einer Fernsehserie. Die junge Frau schien aber nicht an einer dieser Wohnungen interessiert zu sein. Da sie in ihrem raschen Gang nie innehielt, sich auch nicht abwägend umschaute und man wegen ihrer Kopfhörer nicht ins Gespräch mit ihr kommen konnte, fragte sie niemand nach ihrem Vorhaben. Sie kannte aber offenbar bald die Wege von uns Dorfbewohnern, so daß wir häufig auf sie trafen, sie war nie ohne ihre Kopfhörer und ihre Umhängetasche mit den Metallbeschlägen, stets wiegte sie den Kopf zu einer Musik, von der wir keinen Ton hörten. Mit untrüglicher Sicherheit hatte sie auch den Zufluchtsort von uns allen herausgefunden, das Pestkirchlein auf der Anhöhe über dem Dorf. Als an einem frühen Fasnachtsabend das Kind und ich noch ein wenig dort sitzen wollten, sah ich schon von weitem ihre Silhouette scharf wie einen Scherenschnitt.

Beim Näherkommen kümmerte sich das Kind nicht um die auf dem Grasboden hockende junge Frau mit den Kopfhörern, es eilte sofort in die noch offene Kirche hinein, aus der alsbald seine lauten Ausrufe der Überraschung drangen. Es war Fasnacht, aber das Kircheninnere überquoll von der weihnächtlichen Krippeninszenierung, spärlich erhellt vom letzten Licht, das durch die schmalen Fenster der Apsis fiel. Auf Zehenspitzen, halb entrüstet, halb entzückt, bewegte sich das Kind mit seiner viel zu großen Schweinsmaske vorsichtig in der Krippenlandschaft, die sich Jahr um Jahr weiter in das kleine Mittelschiff ergoß. Einmal im Innern der Kirche, wurde man irre an seinem eigenen Gehör. Woher nur kam das vielstimmige Wasserplätschern? Alle granitenen Brunnentröge des Dorfes entdeckte man nach und nach zwischen den bei ihren Schafen wachenden Hirten, das Wasser hüpfte und rieselte hinaus auf die Weiden, an die sich südwärts Rebberge anschlossen und nordwärts Kastanienwälder, und hinter dem Stall von Bethlehem erhob sich das gewaltige Bergmassiv unseres Dorfes. Auch der Wasserfall ist da! rief das Kind und bückte sich hinunter zu dem See, den das herabtosende Wasser bildete, da schwamm auch die beim letzten Sommergewitter hinuntergestürzte Kuh, und wenige Schritte entfernt baumelte am Geländer einer Brücke der Traktor, der sich kurz vor der Traubenernte derart überschlagen hatte. Den Bergrücken hinauf tuckerte die Zahnradbahn, die Geleise säumte winziger von den Touristen hinausgeworfener Abfall, über den sich Matilde, die Urheberin des ganzen Krippenwerks, immer so erregte. Sie war die Chronistin unseres Dorfes. Alle besonderen Jahresereignisse fanden Eingang in die Weihnachtsszenerie. Je mehr ihre Krankheit sie aufzehrte, desto mehr schien Matilde nur noch im Pestkirchlein zu leben. Die Fensterläden ihres Hauses blieben geschlossen, die Krippenlandschaft aber wuchs und wuchs, und Matilde vergaß darüber Zeit und Raum. Kopfschüttelnd stand das Kind mit seiner vergnügt die schwarzen Pupillen rollenden Schweinsmaske davor und sagte voll Empörung und Staunen: Ich bin längst ein Schweinchen geworden, und hier ist immer noch Weihnachten!

Jetzt hatte das Kind eine Batterie mit einem Schalter gefunden, den es geschäftig betätigte, die Bergbahn, der Wasserfall, der Stall von Bethlehem wurden gleichzeitig rot erleuchtet, und ich ging hinaus auf den Hügel, auf dem die junge Frau mit ihren Kopfhörern saß. Sie bewegte nicht nur wie sonst den Kopf, sondern den ganzen Oberkörper in einem hektischen Rhythmus hin und her. Ich erschrecke sie, dachte ich, wenn ich sie von hinten anspreche, und lief um die Kirche herum und näherte mich von vorn. Sie hockte unverändert auf dem nackten Grasboden und hob langsam ihr Gesicht zu mir auf. Ihr ekstatisches Wiegen setzte keine Sekunde aus, obwohl sie ihren Blick auf mich heftete, aber er kam aus einer unerreichbaren Ferne. So nah nun vor der jungen Frau, verwunderte es mich von neuem, daß nicht der leiseste Ton einer Musik aus ihren Kopfhörern zu mir drang. Sie warf immer heftiger den Kopf von hinten nach vorn, in einer mir unbekannten vehementen Bejahung, während ihre Augen etwas ausdrückten, das mir wie eine Bitte um Abstand und Gleichgültigkeit vorkam. Stumm stand ich vor ihr, während sie angewurzelt auf der Anhöhe sitzen blieb, wo einst in der frostkalten Kirche die Pestkranken in ihrem letzten einsamen Lazarett dahinsiechten und wohin auch wir noch heute unsere Nöte trugen. Als immer mehr Migranten aus dem Balkan und aus Portugal in unserem Dorf einzogen, hatte Serafina einmal gesagt, solange wir mit ihnen unsere Geschichte haben, unseren Groll und unser Lachen, unseren Zorn und unsere Feste, solange ist es gut. In den Augen dieser Frau aber verstand ich noch nicht zu lesen. Die Dämmerung fiel rasch herein. Hinter den schmalen Apsisfenstern der Kirche blinkte und flackerte es plötzlich. Bestimmt war eine Batterieanlage der Krippe außer Kontrolle geraten. Ohne mich zu verabschieden, kehrte ich ins Innere zurück.

3

Orion! Ich muß mich nicht mehr fürchten. Die ganzen Kräfte des Verstandes hatte ich lange Jahre zum Schutz aufgeboten. Jetzt sind die Schleusen geöffnet. Alle Schmerzen dürfen wieder strömen, alle Freuden, ungehemmt. Wie die kirgisischen Nomaden ihren Toten in den Steppen ein luftiges Metallgestell, in Form eines filigranen Zeltes, über dem Grab errichten, das je nach Lichteinfall nur einer zarten Illusion ähnlich aufblitzt, will ich Orion ein flirrendes immaterielles Turmhaus bauen. Angesichts des Todes wird manches so leicht. Und dieser Schwerelosigkeit darf ich mich hingeben, ich weiß es, sie ist es, die rettet und erhält.

Seit Orion, bei einem Anflug über New York an einem Frühlingsmorgen, die Wolkenkratzer aus brodelnden Nebelmassen hatte auftauchen sehen, waren Turmhäuser seine Obsession. Nicht minder begeisterte es ihn, als er den Hudson River hinunterfuhr, wie die Spitzen der Wolkenkratzer im hin und her wogenden Dunst verschwanden. Sie berühren Himmel und Hölle, sagte Orion, Ausweg, letzter, um dem Mittelmaß zu entfliehen. Aber es sollten Genossenschaftstürme werden, keine Enklaven des Luxus, nüchterne Genossenschaftstürme. Ohne Bewaldung! Keine vertikalen Wälder, wie sie neuerdings in den Metropolen entstanden. Ohne Begrünung! Keine hängenden Gärten. Nur karge Türme, einzige Antwort auf die Majestät der Berge. Die unerwarteten Windkanäle zwischen den Hochhäusern, diese jähen Sturmböen, bei denen man Halt suchend nach einem Eisengitter greift oder sich an einen fremden Passanten klammert, nichts anderem gleichen sie so sehr wie dem Tosen in den Windschluchten des Hochgebirges. Die alten Susten an den Paßstraßen, die Hospize, viele von ihnen waren schon in turmähnlichen Dimensionen gedacht gewesen, wann nur hatte diese erbärmliche Zerstückelung der Natur begonnen? Doch bei Wettbewerben überging man Orions Entwürfe mit Schweigen. Es war die Zeit, da das Amtsblatt Konkurs um Konkurs meldete. Bauherren wurden plötzlich krank, standen auf einmal in Scheidung, gingen selber bankrott. Wenn es an der Wohnungstür klingelte, wagte ich nicht, durch den Spion zu spähen, aus Furcht, direkt in das seinerseits hereinstarrende Auge eines Betreibungsbeamten zu blicken. Geräuschlos zog ich das Kind mit mir in die entfernteste Ecke der Wohnung, wo wir uns niederkauerten. Ich bin der große alte Nußbaumschrank, flüsterte ich ihm zu, und du bist dein dunkelrotes Kapuzenmäntelchen, das im Schrankinnern hängt, wir wissen nicht, wie man spricht, hustet oder lacht, wir sind stumm. Das Klingeln wiederholte sich. Wir schlossen zusätzlich die Augen. Endlich hörten wir Schritte, welche das Treppenhaus hinuntergingen. Zur Vorsicht zählten wir noch siebenmal auf sieben, dann sprang das Kind befreit aus der Deckung und zündete alle Lämpchen seiner Puppenstube an.

Irgendwie wußte das Kind immer, was zu tun war. Je verlassener Orion sich in seiner Arbeit fühlte, desto deutlicher setzte es wortlose Zeichen. Es begann, jeden Abend vor dem Einschlafen seine Schuhe neben diejenigen von Orion zu plazieren. Während Orion in einer Wirtschaft, hoch oben in einem abgelegenen Tal, Planrollen, Stunde und Heimfahrt vergaß, erfand das Kind immer neue Anordnungen seines kleinen Schuhwerks. Im Zentrum standen Orions große Männerschuhe, daneben in wechselnder Gruppierung die samtenen Kindergartenpantoffeln, die ersten blauen Turnschuhe, die gelben Meersandalen aus Plastik mit aufgeprägten Palmen und Sandstrand. Sogar die neuen schwarzen Lackschuhe, die vor dem Tragen tagelang nachtsüber ins Bett genommen wurden, durften sich in die Reihe stellen. Stets ging etwas Tröstliches von dieser abendlichen Inszenierung auf mich über. Ich ahnte, daß das Kind eine Selbstverständlichkeit besaß, die mir fehlte.

Erinnerst du dich, Orion, daß ich einmal mit komischer Vehemenz ausrief: Hätte ich wenigstens einen handfesten Beruf. Fußpflegerin! Die Kühnheit eines leidenschaftlichen Lebensentwurfs, die mich einmal an Orion angezogen hatte und auf die meine eigene Unbedingtheit freudig antwortete, hatte sich gefährlich mit der Liebe vermischt. Unsere verwundeten Träume kehrten sich nun in Feindschaft gegeneinander. Je eigensinniger sich Orion in sein Scheitern hineinarbeitete, desto unbeirrter hielt ich an meiner ebenso aussichtslosen Existenz fest. Ich verteidigte sie auf den Ämtern mit einer Glut, die nur Kopfschütteln hervorrief. Vergeblich versuchte man, mich von meiner Weltfremdheit, wie sie es nannten, abzubringen. Es war meine unverständliche Form von Treue.

Wenn das Kind schon tief im Schlaf lag, stand ich manchmal wieder auf und zündete die Lampe auf der Kommode im Gang an. Sanft fiel der Lichtschein auf die Schuhversammlung. Noch weicher erschien der violette Samt der Kindergartenpantoffeln, die Schnalle der Lackschuhe blitzte silbern, und von den Palmen auf den gelben Plastiksandalen wehte eine frische Meeresbrise. Alle Angst wich von mir. Kein Telefon würde durch die Stille der Nacht schrillen, niemand von einem in eine Schlucht hinuntergestürzten oder gegen eine Mauer geprallten Auto berichten, ich würde das Torkeln auf der Steintreppe nicht mehr hören, und nicht das endlose Kreisen und Kratzen mit dem Schlüssel an der Tür. Die kleinen Schuhe haben mich mitgenommen auf ihre sorglosen Wanderungen und ihre Ankunft an einem Sommertag bei uns im Dorf. Morgenglanz sickert durch die Bäume auf dem ovalen Platz. Die Kunde vom weißen Lieferwagen des Schuhgeschäfts in der Ebene hat sich rasch verbreitet. Der Besitzer ist jung und auf seiner Reise hinauf in die Täler stets gut gelaunt, er drückt mehrmals in einem furiosen Stakkato auf die Hupe, dabei rennen die ersten Kinder schon auf den Platz. Eine Bühne mit verschieden hohen Türmen von Schuhschachteln wird errichtet, einige werden zur besseren Darbietung geöffnet, es knistert und raschelt von Seidenpapier. Feierlich rollt der Ladenbesitzer auf dem noch taufeuchten Kies einen roten Teppich aus, eine Art Laufsteg, beidseits flankiert von Klappsesseln.

Unübersehbar liegt neben jedem Klappsessel ein Schuh-
löffel, die Sessel sind zum Schuhprobieren gedacht,
aber bald sind sie von Schaulustigen besetzt. Matilde
sucht sich wie immer Gummistiefel aus, als würde
sie bereits im Sommer ihre Streifzüge zum Wasserfall
hinunter beginnen, um bizarre Steine und ausgewa-
schene Astskelette für ihre Krippenlandschaft zu finden, während Serafina in weißen Pumps reichlich un-
sicher über den roten Teppich auf und ab balanciert.
Der Ladenbesitzer weiß genau, daß Serafina diese
Pumps nie kaufen wird, da sie zu ihrem Leidwesen
wegen ihrer Fußarthrose nur noch unförmige Schuhe tragen kann, trotzdem ermuntert er sie laut von
der Rampe des Lieferwagens aus, lobt den besonders
femininen Ausschnitt, das geschmeidige Leder, den
aparten Absatz, Serafina strahlt, obwohl sie bereits
hinkt auf dem roten Teppich. Inzwischen haben auch
die alten Männer ihre Bänke unter den Bäumen verlassen und auf den Klappsesseln Platz genommen, sie
begutachten die Schuhanprobe, klatschen und rufen,
nur Mut, Serafina, so findest du einen Verlobten! Die
Kinder machen sich die aufgeräumte Stimmung zunutze und wühlen selbständig in den offenen Schach-
teln, ein paar vor kurzem zugezogene Migranten
haben sich unter das Publikum gemischt und heben
kritisch diesen und jenen Sneaker in die Höhe, der
Ladenbesitzer wird allmählich etwas nervös, schließt
die Hintertür des Lieferwagens und sagt, das ist kein
Flohmarkt hier!

4

Die weißen Pumps von Serafina senden einen matten Schein durch die Vergangenheit herauf wie die Rattansessel im dunklen Gartensaal. Wie doch Schuhwerk ein ganzes Menschenleben in sich beherbergt. Die schmelzenden Gletscher schwemmen zerfallene unkenntliche Leichen ans Tageslicht, aber plötzlich ragt unversehrt ein Paar hochgeschlossener Lederschuhe aus dem Eis, beinahe anmutig gearbeitet, dabei fest geschnürt, die Sohle genagelt, und ein zur alten Frau gewordenes Kind erkennt die Schuhe seiner lange verschollenen Mutter wieder. Nur sein Vater, der Schuhmacher, wußte solche feine und doch stabile Frauenbergschuhe herzustellen, er ist bei der Mutter, als beide an jenem späten Augustnachmittag bei der Gletscherüberquerung im Nebel verschwinden. Sie wollten ihr Vieh jenseits des Gletschers versorgen und sind nie mehr heimgekehrt. Eine grüne Glasflasche, auch sie noch ganz, deutlich lesbar das Wort Sion darauf, liegt neben den Schuhen, vielleicht trug sie der Vater im Rucksack, mit schwarzem Kaffee oder Schnaps, aber wie tot wirkt die Glasflasche neben den lebendigen Schuhen der Mutter.

Erschreckend leblos sind auch die aufgetürmten Schwimmwesten der übers Meer gekommenen Flüchtlinge auf der Insel Lesbos. Ein gigantischer Müllhaufen, alle Schwimmwesten von derselben orangen Farbe. Die zurückgelassenen verschlissenen Schuhe auf den Fluchtstraßen der Welt sind beredt. Die Schwimmwesten hingegen, übereinandergeworfen in nicht zu fassender Masse, ersticken. Es ist ein monströser unhörbarer Chor. Orpheus ist verstummt! Sein von rasenden Kriegerinnen abgerissenes Haupt treibt vor der Insel Lesbos, immer noch sang es, immer noch klagte es um die verlorene Eurydike, ganze Wälder zogen einst verzaubert von seinem Gesang hinter Orpheus her, über die nackten Felsen herab neigen sich ihm die letzten gekrümmten Steineichen entgegen, aber eine Küstenwache hat mit Stangen das blutige Haupt unter die Wellen gedrückt.

Es muß jemand im Haus sein. Aus dem Garten dringt kein Geräusch mehr, weder Scharren und Rascheln, noch Fiepen und Piepsen. Wenn ich die Wolldecke nur ein wenig lockere, friert mich, und ich muß schnell in meinen kleinen Wärmekreis zurückkehren. Je stiller nun alles ist, desto mehr erfüllt mich die Gewißheit über eine fremde Anwesenheit. Aber damit hatte ich schon früher den Wirt geplagt, wenn ich nochmals vom Himmelszimmer herunter in den Gartensaal gekommen war und behauptete, es müsse noch jemand da sein. Der Wirt las meistens zu dieser Stunde in einem Rattansessel und sah mich über den Zeitungsrand eher erheitert an. Er wußte genau, daß ich bereits in allen früheren Gästekammern nachgeschaut hatte. Lakonisch sagte er, in solchen Häusern ist man nie allein. Sollte mich das nun beruhigen? Jetzt aber merke ich, wie dieser Satz eine späte Beschwichtigung in mir entfaltet. Nein, ich werde nicht in die Gästekammern in den Seitentrakten hinaufgehen. Es wird alles sein wie immer. Die angelehnten Türen, die ausgebeulten Kopfkissen, die schweren Duvets mit den Höckern, als verberge sich jemand darunter, der zarte Staubflor auf den dunklen Eichenböden, die zusammengekrallten toten Spinnen unter den Betten. Und alle sind sowieso da, die Lebenden und die Toten, die Geliebten und die Gefürchteten, Orion.

5

Mitten in der Nacht schrecke ich auf. War da nicht das leise Verrücken eines Rattansessels? Rasch schlage ich die Wolldecke zurück, als könnte ich so besser lauschen. Das rötliche Licht im Garten ist längst erloschen. Aber durch das angestrengte Hinhören auf den geringsten Laut ist mir, die Einzelheiten des Gartensaals würden im Dunkeln deutlicher hervortreten. Nur die Gestalt auf dem Fresko an der östlichen Saalwand bleibt unscharf. Es befindet sich gegenüber demjenigen mit der Tellskapelle und stellt, als Ouvertüre oder Echo dazu, Guglielmo Tell selbst dar, zusammen mit seinem kleinen Sohn, auch dieses Fresko habe ich nie genauer angesehen. Ich schalte die

Taschenlampe meines Handys ein, der Strahl reicht zu wenig weit. Die Wolldecke wie einen Mantel um mich geschlagen, durchquere ich den Gartensaal.

Auch Guglielmo Tell trägt einen wehenden ärmellosen Umhang. Aber wie ist er zu diesen über dem Knie gebauschten weinroten Puffhosen mit gelben und blauen Streifen gekommen? Und Strümpfe, weiße Strümpfe im Gebirge! Hinter ihm erheben sich pyramidenförmige Berge, er selbst aber steht wie ein Paradiesvogel in dieser Landschaft. Seine Weste ist enganliegend und gegürtet, sie muß einmal in einem tiefen Blau geleuchtet haben, es ist dasselbe Indigoblau wie bei der Tellskapelle, das Safrangelb der gestreiften Puffhosen ist wohl etwas verblichen. Heroisch und fremd steht Guglielmo Tell in meinem Taschenlampenlicht, lässig streckt er einen Pfeil aus, es ist der zweite, für den Tyrannen bestimmt, den er verborgen hatte, der erste Pfeil steckt im durchbohrten Apfel am Boden. Eine lange gesprenkelte Fasanenfeder schmückt Guglielmo Tells Lederkappe, vielleicht hat der Freskomaler Schweizer Söldner mit dieser auffallenden Kopfbedeckung in Neapel gesehen, und die weinroten Puffhosen mit den gelben und blauen Streifen lieh er sich von der päpstlichen Garde in Rom. Diese Puffhosen jedenfalls sind so aufreizend, daß ich sie nicht genug beleuchten kann, auch der kleine Sohn, um den der Vater schützend den Arm legt, ist genau gleich gekleidet, als wäre er ein Regimentskind, nur erinnern mich hier die Puffhöschen nun doch sehr an eine alte Birnensorte im Garten meiner Kindheit. Der Baum stand mitten in der Wiese auf der untersten Terrasse, und gegen Anfang September sah die Mutter jeden Tag in die Krone hinauf. Keine einzige Schweizerhose, rief sie dann manchmal, wieder ein Jahr ohne Schweizerhosen! Sie konnte es nicht glauben und verschob mit einem umgekehrten Laubrechen vorsichtig das Blattwerk. Kam dann doch eine Birne zum Vorschein, rief sie uns Kinder herbei, und wir bestaunten die kuriosen gelben und roten Längsstreifen auf der grünlichen Schale. Selten durften wir eine dieser Birnen kurz vor der Reife probieren, meine Mutter sparte sie auf für eine besondere Nachspeise, die unseren Vater an seine römische Studienzeit erinnern sollte. Sie tröstete uns damit, daß das zarte Fruchtfleisch im Weinsirup gekocht noch saftiger und süßer sein werde, und ohne weitere Vorankündigung standen an einem Septembersonntag in einer bauchigen weißen Porzellanplatte die Poires au Pinot auf dem Tisch, umrahmt von Zimtstengel und Gewürznelken, die Birnen ganz und mit Stiel, vor allem jedoch, ziemlich rezeptwidrig, samt Schalenhaut. Meine Mutter wollte ja die hosenartigen Streifen erhalten, was beim Kochen leicht zu fallieren drohte, auch mußte der Weingelee zu seiner vollkommenen Konsistenz gelangen, meist schloß sie sich bei solch schwierigen Manövern in der Küche ein und ließ nur von Zeit zu Zeit kleine Verzweiflungsschreie von sich hören. Aber jetzt lagen die Schweizerhosen makellos gestreift da in ihrem roten Weinsirup, die Mutter schaute gespannt auf den Vater, der gleich ausrufen würde, nein, wirklich, wie die Schweizer Garde in Rom! Und vielleicht, weil wir Kinder diesen Ausruf nicht zum ersten Mal hörten, ahnten wir etwas von dem Fernweh, das darin mitklang, der Erinnerungsmacht, auch dem gedankenverlorenen Staunen darüber, wie anders ein Leben hätte verlaufen können. Die Mutter hob sacht eine Schweizerhosenbirne aus dem Weinsirup und legte sie auf den Teller des Vaters, wenn du bei den schwarzen Soutanen in Rom geblieben wärst, sagte sie mit sanftem Triumph, dann wären wir jetzt alle nicht hier!

6

War der nicht sehr große Birnbaum mit den Schweizerhosen der Augapfel meiner Mutter, so war ein anderer Birnbaum im Garten geradezu ihr Widersacher. Obwohl im Schatten der Tannen stehend, wuchs dieser unverschämt und mit kräftigen Ästen in die Höhe und überschüttete uns im Herbst mit seinen wachsigen Birnen. Es war ein Gelbmöstler, und die Mutter wunderte sich, wie er überhaupt in unseren Garten gekommen war. Diesen Birnen widmete sie anscheinend nicht die geringste Aufmerksamkeit, sie konnten herunterfallen und herumliegen, wie sie wollten. Mich aber lockte ihr matt leuchtendes Goldgelb im Gras, wenn mir auch die Rostflecken auf der Haut nicht so gefielen, und die Birnen im Innern oft schon braun waren. Doch der Duft, der betäubend süße Geruch! Einmal suchte ich mir eine Birne aus, die noch am Baum hing, und wäre fast daran erstickt, das grobkörnige und herbe Fruchtfleisch blieb mir im Hals stecken. Meine Mutter rief, wir sind doch keine Mosterei! Ein vielstimmiges Sirren und Summen antwortete ihr, ein Chor von Wespen erhob sich unter dem Baum und jagte mit frenetisch anschwellender Lautstärke von einer zermantschten Frucht zur andern. An einem späten Septemberabend sah ich vom Fenster aus meine Mutter reglos bei dem Gelbmöstler stehen. Ein schwacher Schein ging vor dem Hintergrund der Tannen von dem Birnenteppich im Gras aus. Das Wespenkonzert war verstummt, gegen Abend klebten nur noch ein paar einzelne Wespen besoffen oder tot an den teigigen Früchten. Meine Mutter schien ganz versunken in den Anblick des gärenden, zu Mus gewordenen Obsts. Leistete sie Abbitte bei dem Baum, dem sie oft grollte wegen seiner Verschwendung, während sich die Schweizerhosenbirnen so rar machten? Freigebig war der Gelbmöstler zur Zeit der Reife, freigebig war er auch in der Verwesung. Nach und nach wird die Gestalt meiner Mutter undeutlich in der Dämmerung, aber sie steht immer noch dort, vor dem Tannendunkel, und hält auf ihrem Abend-

rundgang durch den Garten Einkehr bei den verfau-
lenden Birnen.

7

Nochmals lasse ich meinen Lichtstrahl über das Tell-
fresko schweifen, die pyramidenförmigen schneebe-
deckten Berge, den vom Pfeil durchbohrten Apfel,
Vater und Sohn. Etwas abwesend schalte ich die Taschenlampe nicht aus, als ich mich umdrehe, um zu
meinem Rattansessel zurückzukehren. Ihr Licht fällt
kurz durch das Fenster in die Gartenloggia. Eine Fasanenfeder leuchtet draußen im Dunkeln auf! Nach
einer Sekunde des Erstarrens richte ich den Taschen-
lampenstrahl langsam wieder in die Gartenloggia
hinaus. Als wäre es nicht meine eigene Hand, nehme
ich wahr, daß sie zittert. Jetzt sehe ich den pompös
mit Anemonen und Margeriten beladenen Strohhut,
von dem die lange Fasanenfeder absteht, den zur Seite geneigten Kopf, das ironisch lächelnde Maskengesicht über der ausgestopften Büste, reich verziert mit
Stickereien und Perlenketten. Die großen Männerschuhe entgehen mir nicht, aber warum hat sich der
Schöne hierher verirrt? Die unter dem Strohhut befestigten bunten Seidenbänder, die sonst wie fürstliche
Standarten flattern, hängen in der Nachtfeuchtigkeit
schlaff herab. Der Maskierte kauert am Boden der
Loggia mit dem Rücken zur Wand, er scheint tief zu

60

schlafen, doch ist da, eng an ihn gelehnt, nicht noch eine zweite Gestalt? Als müßte ich, meine Erregung bezwingend, mit einem Laserstrahl eine notwendige Operation ausführen, lasse ich meinen Taschenlampenschein länger auf ihr ruhen. Wie zart sie ist! Es ist ein Häßlicher. Er hat die Lumpen und ein zerrissenes Schaffell mit Schnüren um sich gewickelt, die schmutzigen Gummihandschuhe muß er abgestreift haben, da ist eine bloße Hand, eine feine Hand, ohne jede sichtbare Ader. Ich kenne sie doch, diese Hände, warm durchpulste Glasgebilde! Das Untrüglichste aber ist die Haltung, mit der die schmale Gestalt des Häßlichen sich an den imposanten Schönen lehnt. Gewiß schläft auch er. Die schwarz gefärbte Holzmaske verrät nichts. Die Schnur, welche einen zerschlissenen Koffer zusammenhält, ist dem Häßlichen entfallen, aber noch in seinem Zustand der Schlaftrunkenheit trifft mich bis ins Innerste die unnachahmliche Biegung des Körpers, mit dem er sich an die massige Gestalt des Schönen schmiegt, diese vertrauensvolle unbedingte Zugehörigkeit, nur den Kopf, in einer wortlosen Behauptung von Reserve und Eigensinn, leicht abgedreht. Wie mich solche Kraft in dem Kind immer ergriffen hat. Meine kleine Steineiche, sagte ich ihm oft, es hatte auf der Sturmseite einer Insel im Mittelmeer gesehen, wie diese Bäume gebeugt von Wind und Wetter sich an die Hänge drücken, oft geradezu dem karstigen Erdboden entlang hinaufwachsen, doch stets die ledrigen gezähnten Blätter nach dem Licht streckend, unbeirrbar, immergrün.

Die Maskierten werden von meiner angezündeten Taschenlampe noch erwachen! Ich schalte sie aus, ohne mich von der Stelle rühren zu können. Zu überdeutlich, zu schmerzlich sehe ich uns wieder im Schneegestöber vor dem offenen Portal der Kathedrale stehen, das Kind, Orion und mich, die Schneeflocken wirken vor dem dunklen Kathedraleninnern noch weißer und schwerer, die Stufen sind zugeschneit an diesem Dreikönigstag. Das Kind reicht Orion schon bis zur Schulter, aber immer noch lehnt es sich in dieser nur ihm eigenen, unverkennbaren Haltung an Orion, der in der Mitte uns beide überragt, der schwarze breitkrempige Hut weiß von Schnee, und ich daneben in meinem grünen Pelz. Im Schneesturm ist die Stadt vollkommen verlassen, wie eine leere Bühne kommt sie uns vor, wohin sind die früheren Akteure verschwunden? Ein Jahrzehnt genügt, um die mythische Stadt des Kindes auf dem Grund des Sees versinken zu lassen. Der große Platz, von dem es einst glaubte, es brauche unendlich Zeit, um ihn zu überqueren, erscheint ihm auf einmal so klein. Das Geschäft, wo ich meinen blutroten Hochzeitstailleur kaufte, gibt es nicht mehr, weder die Apotheke mit meinen Haarkämmen aus maseriertem Horn noch unter den Arkaden den Laden mit den chinesischen Teetassen. Auch das berühmte Spielwarengeschäft, über dem das Kind gerne dauerhaft gewohnt hätte, suchen wir vergebens. Doch das Olimpia am Platz ist noch da. Es ist so kalt in dem menschenleeren Lokal, daß wir in den Mänteln vor dem weißen Tischtuch sitzen, auch die Kellner frieren, vor den Fenstern stieben schräge Schneeschleier, und Orion so erschütternd gealtert, nur in den Augen die letzte Glut.

8

Zurück in meinem Rattansessel ist alle Beunruhigung von mir abgefallen. Anstatt mich über die Anwesenheit der beiden Maskierten in der Gartenloggia zu ängstigen, erfüllt mich auf einmal eine seltsame Klarheit. Du bist furchtlos vor den ungeheuerlichsten Tatsachen, sagte Serafina einmal, warum nur zitterst du vor Dingen, bei denen wir nichts als Gespenster sehen? Das habe ich lange selbst nicht begriffen, daß ich durch Orion in dem mir Empfindlichsten herausgefordert wurde. Meine Kraft, mit Wörtern als einer lebendigen Wirklichkeit zu leben, kehrte sich gegen mich. Ich war unfähig, Orions Sätze im Rausch von denjenigen in der Nüchternheit zu unterscheiden. Für mich war alles gleich wirklich, auf qualvolle, leuchtende und tödliche Weise eins. Er feiert in großem Stil! sagte Serafina zu mir, wenn aus Orions Arbeitslokal das Rollen leerer Flaschen, seine Flüche und die höllisch aufgedrehte Musik auf die Gasse hinun-

terdrangen. Aber für mich begann dann die Schrek-
kensherrschaft. Gegen sie lehnte ich mich auf, immer
unabwendbarer, mit meinem ganzen verwundeten
Stolz, meiner ganzen unverminderten Liebe.

Serafina scheint etwas Unerschütterliches zu haben. Die aberwitzigsten Situationen kommentiert sie
mit einem kurzen Satz. Das gesamte Dorf kam mir
manchmal so vernünftig vor, und ich die einzige Verrückte. Das Dorf hat immer recht, bemerkte Serafina.
Nach einer Pause sah sie mich beschwörend an: Aber
du hast dein eigenes Recht. Sprach sie von sich
selbst? Vor Jahren hatte mich der Wirt, der sie für
die Abendstunden in der Villa am Waldrand einstel-
len wollte, ratlos auf der Gasse angehalten. Haben
Sie eine Ahnung, fragte er, was in Serafina gefahren
ist? Er hatte ihr am Tag zuvor die Küche gezeigt und
die Arbeitszeiten mit ihr besprochen. Es war eine ster-
nenklare, ungewohnt kühle Novembernacht, einige
vom Dorf saßen immer noch im Gartensaal und wollten gar nicht vom Trinken aufstehen, der Wirt hatte
im schwarzen Marmorkamin ein Feuer angezündet,
was nur noch mehr zum Bleiben verlockte. Zusammen mit Serafina, die bereits ein Tablett mit Gläsern
trug, betrat er den Gartensaal. Kaum über der Schwelle erstarrte Serafina. Als hätte sie den Saal, in dem sie
doch schon manche Fasnacht getanzt hatte, noch nie
gesehen, ließ sie ihren Blick langsam über ihren neu-
en Arbeitsbereich schweifen. Irgendwann begannen

die Gläser auf ihrem Tablett hin und her zu schlingern und gegeneinanderzuklirren. Serafina schaute jetzt unverwandt auf das Feuer im Kamin, etwas wie Entsetzen zeichnete sich auf ihrem Gesicht ab. Stand etwas Bedrohliches auf dem Sims? Aber da war nichts. Nur die Flammen spiegelten sich in zuckenden Reflexen im schwarzen Marmor. Auch die Sitze beidseits des Feuers, die im Kamingewölbe wie in einem Alkoven standen, waren unbesetzt. Inzwischen war es im Gartensaal totenstill geworden. Einzig aus dem leise prasselnden Feuer drang hie und da der Knall eines Holzscheites. Endlich stellte Serafina das Tablett mit den Gläsern auf den nächsten Tisch. Dann richtete sie sich auf und sagte mit unterdrückter Stimme, fast tonlos, doch mit einer Autorität, die aus einer anderen Welt zu kommen schien: Die Kaminsitze müssen hinaus. Keine Stunde werde ich hier arbeiten, bis sie herausgerissen sind!

Der Wirt ließ die Kaminsitze tatsächlich entfernen. Ihm lag zuviel an Serafina. Wo fand er eine zuverlässige Person wie sie? Serafina hatte früher in der Hemdenfabrik in der Ebene gearbeitet und es dort zu einer leitenden Stellung gebracht. Ihr würde er auch die Wirtschaft anvertrauen können, wenn er wieder häufiger nach Sizilien ging. Serafina kaufte in der Stadt einen schwarzen Tailleur zum Servieren und einen Einsteckkamm mit zwei künstlichen Perlen, um ihr wildes Haar zu bändigen. Der Wirt wagte nicht, je wieder die Szene vor dem Kaminfeuer zu erwähnen. Im Grunde war es ihm nicht unwillkommen, die Kaminsitze herauszureißen, sie waren der Lieblingsort der alten Männer, und er hatte oft nicht ohne Mißfallen beobachtet, wie sie dort während ihres Räsonierens tüchtig ins Feuer spuckten, besonders der eine, der schon beinahe zahnlos war und kaum verständlich vor sich hin brabbelte, tat es im Minutentakt. Auch im Dorf schwieg man beharrlich über den Vorfall. Es war höchstens ein lauer Einwand der Behörde zu befürchten, die Schutzwürdigkeit des ganzen Ensembles des Marmorkamins betreffend, aber dann hätte er sie gleich darüber aufgeklärt, daß es sich dabei um polierten Alpenkalk handelte.

9

Kein Laut dringt aus der Gartenloggia zu mir. Die beiden Maskierten müssen von ihrem Weg durch die Schlucht, wo auch die Grenze verläuft, vollkommen erschöpft sein. Wie getröstet sie aneinanderlehnen, sich gegenseitig im Schlaf Schutz gewähren. Einsam ist Orion gestorben. Er war nicht aufgestanden, er lag im Bett, keine Unruhe, kein Erschrecken auf seinen Gesichtszügen, sagte Serafina. Wie wünschte ich, daß es nur ein tiefes Fallen war durch den schwarzen Weltenraum, hinaus zu seinen glänzenden Sternenstraßen. Alle Relikte seines Lebens, die das Bett im Ar-

beitslokal umgaben und eine beklemmende Schwer-
kraft entwickelten, fliegen nun befreit umher, kleine
Meteoriten, einmal werden sie die Erdbahn kreuzen,
nochmals heiß aufleuchten und verglühen. Die ver-
staubten Modelle sind dabei, die zerwühlten Bücher,
die von Nikotin braunen Bilder, gewellte Fotos, Orion
als Jimi Hendrix die Gitarre traktierend, die toten
Brüder, Panflötenpinsel, Zirkel, der Farbkasten, astro-
nomische Wissenschaft, die Briefe des Kindes. Zigarettenasche rieselt aus den gezeichneten Plänen, sie
rollen auseinander im Wind, plötzlich lesbar wieder.
Staunen erfüllte mich stets vor ihnen, mehrere Ar-
beitstische mußten wir zusammenschieben, um sie
zu überblicken. Die Pläne für eine Neuordnung des
Rialtomarktes in Venedig zogen mich besonders an,
die verschiedenen Ansichten und Grundrisse, alles
leicht koloriert, man fühlte sich den Canal Grande
entlanggehen, hinein in die Seitengassen, den Fisch-
markt, die Hallen für Geflügel, Obst, Gemüse, in eine
Art kleines Sanktuarium für die dünnen grünen Spar-
geln und die berühmten Artischocken von der Insel
Sant'Erasmo im Norden der Lagune, die ganze Um-
gestaltung strukturiert durch schlanke Stahltürme,
deren Spitzen den Campanile von San Marco evo-
zierten.

10

Ich bin fortgegangen, sage ich mir immer wieder, es war zuviel verlangt, daß ich im Tod bei Orion sein durfte. Manches Mal haben wir es schon durchlebt, dieses Abschiednehmen und Wiederkehren, dieses eine Mal dauert es nur etwas länger. Vielleicht hätte Orion nicht gewollt, daß wir an seinem Bett sitzen, wie wir es oft taten an späten Sommernachmittagen, wenn trotz der heruntergelassenen Sonnenstoren sich immer mehr Schweißtropfen auf seiner Stirn ansammelten. Auch Ausruhen ist anstrengend. Er will allein sein. Sucht Orion im Schlaf die auseinandergewehten Gedächtnisfetzen? Seine Gesichtshaut ist durchsichtig, so gelblich, wie sie nicht aussehen sollte. Irgendein uns unbekannter Vorgang, ein immer mehr sich ankündigendes Hinüberwechseln in einen anderen Zustand, zehrt seine Kräfte auf. Seine Augen in den tiefen Höhlen sind geschlossen. Wir erheben uns und gehen auf Zehenspitzen noch ein wenig zwischen den übereinandergestapelten Modellen in ihren Plexiglaskuben umher. Eine Eidechse! ruft das Kind plötzlich, sehr leise, aber erregt. Da! Dort! Jetzt sehe auch ich über aufgetürmten Planrollen im Regal etwas herumflitzen, innehalten, verschwinden und erneut auftauchen, die Eidechse wendet das hellblau schillernde Köpfchen witternd hin und her, mit den grasgrünen Beinen sucht sie nach besserem Halt und spreizt die filigranen Zehen, das

Kind klettert entzückt auf einen Stuhl, aber sie entwischt.

Planrolle um Planrolle ziehen wir heraus, wir sind schon voller Staub und Spinnweben, wohin nur ist die Eidechse geflüchtet? Hier vielleicht, das sind die Pläne für den Berg Athos! Wir suchen das Rascheln des Pergaments möglichst zu unterdrücken und rollen die Pläne auseinander. Keine Eidechse. Doch finden wir Zeichnungen des Felsenklosters, in schwindelnder Höhe über dem Meer, und weit unten am Wasser den Hafenturm, der nach der Renovation die Klosterbibliothek aufnehmen und endgültig sichern soll, nachdem drei Brände die kostbarsten Bestände vernichtet hatten. Keine einzige Frau darf die Mönchsrepublik betreten, flüstere ich dem Kind zu, aber Orion hat in den Fundamenten des Hafenturms einen roten Schuh von mir eingemauert, einen eleganten Schuh aus feinstem Ziegenleder, was! wie! unterbricht mich das Kind, in einer Blechschachtel, sage ich fast unhörbar. In einer Chromstahlhülse! kommt es präzisierend und laut vom Bett her. Erschrocken fahren wir von den Plänen auf. Hat Orion nicht eben in tiefer Abwesenheit geschlafen? Verwundert beuge ich mich über ihn. Er ist hellwach. Der alte Schalk nistet in seinen dunklen Augen, ein triumphierendes Glitzern. In einer luftdicht verschlossenen Chromstahlhülse, betont Orion, dein roter Schuh, er wird uns überleben. Ein Schauer von Zärtlichkeit bebt in

69

seinen Zügen und erfaßt auch mich. Alles Unglück, alle Verzweiflung, nichts existiert mehr außer diesem einen Augenblick. Fern im Mittelmeer schlagen smaragdgrüne Wellen gegen einen Hafenturm, in dem unantastbar eingemauert der immer junge Bodensatz einer Liebe ruht.

11

Eine leichte Unruhe regt sich nun doch in mir. Habe ich die Glastür des Gartensaals nach meinem Eintreten geschlossen? Ich kann mich nicht erinnern, nicht im geringsten, als wäre ich schon nächtelang hier. Wenn ich nachschaue, würden die Vermummten in der Loggia vielleicht davon erwachen. Von meinem Rattansessel aus fixiere ich lange die zweiflüglige Glastür, als wäre es möglich, so Aufschluß von ihr zu erhalten. Schließlich blicke ich zur Decke auf, aber natürlich wirft sie kein Spiegelbild aus der Gartenloggia zurück. Die Stuckverzierungen sind von den früheren Fasnachtsbällen im Festsaal so lädiert, daß man nur noch schwach ihre Umrisse ahnt. Erstaunlich gut erhalten hingegen sind die Eckkartuschen mit den vier Jahreszeiten. Wie oft bin ich mit dem Kind auf dem Arm von einer Saalecke zur andern gewandert, der Frühling ist durch ein Mädchen dargestellt, die offenen Haare wild bekränzt mit Feldblumen, der Sommer ist eine üppige nackte Frau, die

Brüste prall und rund, sie drückt eine Garbe reifen Weizens an sich, beim Herbst mußten wir immer länger verweilen, das Kind betrachtete den Bacchus wohl als Spielgefährten, er liegt mit einem entwaffnenden Lachen, das aller Welt spottet, zu Füßen eines von Trauben überquellenden Rebstocks. Nur vor der Allegorie des Winters spürte ich etwas wie ein leises Widerstreben des Kindes und zugleich die Faszination des Abstoßenden, mehr noch, das Erbarmen für den gekrümmten halbentblößten Greis, der die gichtigen Hände an einer dürftigen Kaminflamme wärmt. So plötzlich ist es Abend, hörte ich den Wirt hinter uns auf der Schwelle zur Küche sagen. Er mußte uns mit den Augen gefolgt sein. Aber wir finden jetzt den Anfang wieder, antwortete ich, und wir kehrten zu dem ausgelassenen Bacchus zurück, weiter zu der Frau im Sommerglanz ihres Lebens, bis wir bei dem Mädchen, bekränzt mit Frühlingsblumen, ankamen. Und so wanderten wir im Kreis, vertauschten Lebensalter und Jahreszeiten, Anfang und Ende.

I 2

Eigenartig hell wirken die weißen Stuckrahmen der beiden Saalfresken in der Nacht. Es sind schlank kannelierte Profile, Serafina wischt manchmal mit einem langen Staubwedel Fliegengespinst aus ihnen. Umso empörter war sie über die Episode, die sich an einem Abend im Spätsommer ereignet hatte. Laue Wärme kam immer noch vom Garten in den Saal herein. Ein paar letzte Gäste waren in schon ziemlich streitlustiger Stimmung, aber worüber waren sie nur so aufgebracht? Es ging um die Grenze in der Schlucht, die Schlepper, welche Migranten auf einem Kirchplatz in einem verlassenen Tal oder auf einem unwegsamen Berggrat aussetzten, die vermehrten Einbrüche, die einfallslosen Behörden. Serafina kam, da sie ja manchmal in die Küche eilen mußte, der Disput etwas widersinnig vor, und im entscheidenden Augenblick erschien sie zu spät im Saal. Einer der jungen Männer, der durchaus nicht als Querulant bekannt war und bis anhin schweigsam am Tisch gesessen hatte, packte eine der überreifen Feigen, die Serafina samt den großen Blättern in einem flachen Teller sorgsam angerichtet hatte, und warf sie auf den weißen Stuckrahmen des Freskos von Guglielmo Tell. Die Feige zerplatzte, die violette Haut blieb auf dem Stuck kleben, dunkelroter Saft sickerte in die schmalen Rillen des Profils. Das schien dem Feigenattentäter keineswegs zu genügen, Feige um Feige klatschte er gegen die Stuckumrandung, so! da! und steigerte sich derart in Rage, daß Serafina nicht erkennen konnte, ob es dumpfe Wut oder heiliger Zorn war. Inzwischen tropften die Stuckrahmen des Freskos wie von dickflüssigem Blut, und gerade als Serafina dem Tobenden in den Arm fallen wollte, schleuderte dieser die letzte Feige auf die weinroten Puffhosen von Guglielmo Tell. Die zermantschte Feige rutschte ab und besudelte die weißen Strümpfe der heroischen Figur. Jetzt ging der Wirt auf den Wüterich zu und wies ihm umstandslos die immer noch offene Tür des Gartensaals. Die restliche Tischgesellschaft betrachtete betreten die häßlichen Spuren der Schandtat. Einer nach dem andern zahlte und verschwand kleinlaut in der Dunkelheit. Zurück blieben der Wirt und Serafina, die noch weit nach Mitternacht sich mit Lappen und Fegbürste an dem Fresko zu schaffen machten. Die weißen Strümpfe von Guglielmo Tell waren zu retten, auf dem Weinrot der Puffhosen störte der Feigensaft nicht allzu sehr, aber die Stuckumrandungen hatten beträchtlich gelitten. Bis in die Morgenstunden hinein gab Serafina keine Ruhe, wobei sie mehrmals dem Wirt zurief, daß ausgerechnet wir das putzen müssen! Ausgerechnet wir! Erst als ihre Hände bald weißer waren als die wieder unbefleckten Rahmenprofile, ließ sie sich erschöpft in einen Rattansessel sinken und schlief auf der Stelle ein.

13

An einem Septembernachmittag fanden wir den kleinen Leichnam der Eidechse. Das Kind hatte zwischen den Planrollen seinen Verkaufsstand eingerichtet, und beim Verhandeln mit imaginären Kunden war eine

winzige Kastanientorte aus Plastilin hinters Regal gefallen und mußte sofort hervorgeholt werden. Wir
zogen und rückten an dem Regal, da entdeckten wir
statt der Kastanientorte die zwei starren, erhobenen
Händchen. Die Eidechse war vollkommen vertrock-
net. Sie wirkte weniger stechendgrün, da sie auf dem
Rücken lag und die Bauchseite blasser war, um die
Kehle herum wurden die Schuppen weißlich und gingen gegen den Kopf zu in das zarteste Kornblumen-
blau über. Die Augen waren noch geöffnet, die wohl
im Todeskampf emporgereckten Händchen hatten
etwas so Flehendes, daß das Kind in Schluchzen aus-
brach.

Lange stand ich später, nachdem das Kind sich in
den Schlaf geweint hatte, im Dunkeln am Fenster seines Zimmers. Wir hatten die Eidechse hinübertragen
und auf dem Nachttischchen ein kleines Totenbett
errichten müssen. Da lag die Eidechse nun in unver-
änderter Haltung, mit den erhobenen Händchen. Vielleicht gerade deshalb, weil das Kind aus irgendeiner
Scheu sie nicht zu berühren wagte, war sein Schmerz
umso untröstlicher. Und etwas anderes noch mußte
wie eine Flutwelle über das Kind hereingebrochen
sein, eine schreckliche und luzide Ahnung vom tiefen Leid dieser Welt. Immer hatte ich versucht, über
dem Kind den Himmel aufzureißen. Aber selbst im
Schlaf mochten es die Schwingungen eines dunklen
Untergrundes erreicht haben, auch damals, in jener

viel früheren Nacht, als ich am selben Fenster in den Abend hinausblickte. Es war ein unruhiger Tag gewesen. In der ersten Morgendämmerung ging ein furchtbares Gewitter nieder, mit jenem Krachen und vielfachen Donnergrollen, wie es sich nur nah des gewaltigen Berges entlud, grelle Blitze zuckten ununterbrochen, dann folgte jäh prasselnder Hagelschlag. Aus dem Nachbarhaus stürzte der portugiesische Koch, der vor kurzem sein ganzes Geld in einen neuen Peugeot investiert hatte, keinen Occasionswagen diesmal! hatte er stolz verkündet, nein, funkelnagelneu! Er schleppte seine Bettmatratze mit sich und hievte sie unter verzweifelter Anstrengung auf das Autodach. Da der Koch dabei weder schrie noch fluchte, sondern sich nur stumm mitten im Hagel mit seiner Matratze abmühte, waren wir zu spät auf ihn aufmerksam geworden, um helfend einzuspringen, die Bettmatratze schien endlich nicht mehr von ihrem ungewohnten Bestimmungsort herunterrutschen zu wollen, und der Koch rannte ins Haus zurück, während sich auf seinem Autodach, gut gepolstert, eine neuartige Eisdiele formierte. So waren wir nur allzu früh wach für den Tag, an dem die Ablehnung eines Projekts eintreffen sollte, an dem Orion alles lag. Auf dem Hügelzug, den wir in der Ferne erblikken konnten, sollte ein Observatorium entstehen. Leidenschaftlich hatte sich Orion in die Arbeit geworfen, tagelanges Begehen des Standortes, euphorisches Planen, nächtelanges Zeichnen. Nichts war überrissen daran, auch würde sich dieses Observatorium nicht auffälliger in die Landschaft einfügen als die einstigen Vogeltürme. Jetzt scheiterte alles an den finanziellen Ressourcen.

Meist nahm Orion solche Nachrichten anfänglich mit drohender Gelassenheit auf. Erst im Verlauf von Stunden brach sich die Enttäuschung eruptiv Bahn. In seinem Arbeitslokal schwoll die Musik an, geleerte Flaschen rollten und klirrten auf dem Steinfußboden, Gegenstände wurden herumgeworfen. Ich tat alles Notwendige wie immer, nur manchmal spürte ich, wenn eine Tür aufging, wie ein Insekt in Gefahr den Reflex, mich totzustellen. Aber in Orions Lokal wurde es ruhiger, das Kind hatte ich in den Schlaf gesungen, in der Ebene leuchtete grünlich der See, unter den zerfetzten Platanen auf dem ovalen Platz waren die letzten Hagelkörner geschmolzen. Da drangen wie aus der Ferne Gitarrentöne zu mir, die zuerst zögernd gesuchte, dann unverkennbare Melodie eines alten Söldnerliedes. Ich trat auf den Balkon zum See hinaus und konnte niemanden entdecken. Schließlich öffnete ich die Tür zum Zimmer des Kindes, da hörte ich nun auch eine Stimme singen, sie war bei der zweiten Strophe angelangt, und der Jungchnab zog zu Kriege, wenn chunt er wiederume hei, hei, hei, wenn chunt er wiederume hei? Das Kind atmete geborgen im Schlaf, ich schaute in den Hof hinunter, wo immer noch der neue Peugeot des Por-

tugiesen stand, und auf dem Autodach die vom zer-
laufenen Hagel durchnäßte Matratze, und auf der
Matratze Orion mit seiner Gitarre. Doch kein Kratzen und Kreischen mit den Saiten oder Hämmern
auf den Korpus wie sonst, Orion spielte nur, das
Gesicht zu unserem Fenster gewandt, hingebungs-
voll die schwermütige Melodie, übers Johr im andere Summer, wenn d'Stüdeli träge Laub, Laub, Laub,
wenn d'Stüdeli träge Laub. Orion winkte mir mit
der Hand, die Strophen gerieten ihm durcheinander, die Abfolge von Liebe, Abschied und Verrat,
er war jetzt wieder bei der Liedzeile angelangt, und
der Jungchnab zog zu Kriege, diese Strophe sang er
nun unablässig, zu unserem Fenster emporschauend,
immer leiser und verlorener, kaum noch konnte
ich im Dunkeln Orion von der Matratze auf dem Autodach unterscheiden, das Kind drehte sich ohne zu
erwachen auf die andere Seite, die Grillen zirpten
lauter und lauter, und mein Gesicht war naß von
Tränen.

14

Ich muß mich vergewissern, daß sich nichts in der
Gartenloggia verändert hat. Noch bevor ich die Glastür erreicht habe, sehe ich, nur wenige Schritte vom
Eingang entfernt, den länglichen kompakten Packen
auf dem Boden der Loggia. Deutlich erkenne ich ein

Gesicht, von schwarzem fettigem Schmutz starrend. Die reglose Gestalt ist in eine Militärdecke gewickelt. Es ist einer der Häßlichen aus dem Tal hinter der Grenze, versuche ich mich augenblicklich zu beruhigen, er gehört zu den beiden Maskierten. Auch damals, als Serafina mich einmal an die Fasnacht mitgenommen hatte, verstörte mich das Treiben der Häßlichen, als handelte es sich nicht um Verkleidete. Auf dem einzigen größeren Platz vor der Kirche, von deren Fassade der Verputz abbröckelte, warteten wir mit den versammelten Dorfbewohnern auf den Einzug der Schönen. Das Bimmeln und Läuten der kleinen Bronzeglocken an ihrem Gurt kündete sie an, von allen Seiten her füllten sie nun den Platz mit ihrem majestätisch langsamen Tänzeln. Durch die ausgestopfte perlenbestickte Büste in den Bewegungen behindert, sah es eher wie ein geruhsames Wiegen aus, satt und trunken von Reichtum und Schönheit. Vor den verdreckten Schneeresten auf dem Pflaster und den verblaßten ärmlichen Hausmauern entfalteten die üppig mit Blumen geschmückten Strohhüte und die an ihnen befestigten flatternden Bänder eine leuchtende Farbenpracht. Eine Ahnung von nie gekanntem Prunk flirrte in der Winterluft, die Schönen verneigten sich voreinander und warfen den Kopf wieder in den Nacken, das irritierend lächelnde Maskengesicht zum Himmel erhoben, diese Holzmasken mit dem hochmütigen Ausdruck, von denen im Tal behauptet wurde, Auswanderer früherer Jahrhunderte hätten sie in Peru gesehen und nach ihrer Heimkehr imitiert. Eine Bläserkapelle, Trompeten und eine Posaune, intonierte eine Polka um die andere und tauchte den Dorfplatz in die Illusion eines endlosen Festes. Plötzlich aber, als zerrisse ein Paukenschlag die heitere Musik, brachen unter dem wilden Getöse ihrer Kuhglocken die Häßlichen in das Tänzeln der Schönen ein. Durch alle steilen, auf den Dorfplatz mündenden Gassen stürzten sie herunter, die zerbeulten Koffer nachschleifend, in ihre Lumpen und Tierfelle gehüllt, Fuchsschwänze schwingend. Mit einer elementaren zügellosen Wut warfen sich die Häßlichen zwischen den ungerührt weiter tanzenden Schönen zu Boden, wälzten sich in stummer Not und blieben wie tot liegen. Unversehens aber waren sie wieder auf den Beinen, fuhren zwischen die Zuschauer und die Schönen, schlugen in rasender Verzweiflung mit ihren verschnürten Auswandererkoffern auf den heimatlichen Boden und fielen, von Kummer und Zorn überwältigt, Kopf voran in die zusammengeschaufelten schwärzlichen Schneehaufen. Von keinem der Häßlichen hörte ich ein Wort, sie gaben nur gurgelnde Töne, klagende Tierlaute von sich.

An jenem Abend fuhren wir schweigend nach Hause.
Serafina ließ mich ans Steuer, sie war die einzige im
Dorf, die mit mir Probefahrten wagte. Alle anderen
zogen sich zurück, ein schrecklicher Unfall genüge!
nein, man wolle nichts damit zu tun haben. In einer
schlaflosen Nacht hatte ich beschlossen, Fahrstun-
den zu nehmen, um Orion tatkräftiger zur Seite zu
stehen. Mit Serafina zuckelte ich bergauf, bergab, sie
machte sich keine Sorgen um ihren alten Fiat. Du
mußt den Kopf frei fahren, sagte sie, vergiß alles,
restlos alles! wenn du am Steuer bist, existiert nichts
außer der Fahrt. Hinter dem Dorf waren wir rasch
auf die Hochebene gelangt, an deren Ende das Haus
stand, in dem Serafina aufgewachsen war. Die gerade Straße stieg leicht an, so daß hinter der Kuppe
die Bergränder nur als fahler weißer Saum sichtbar
wurden. Aus dem zurückgelassenen fasnächtlichen
Lärm erreichten uns noch die Klänge einer Monferri-
na, dann schien auch die Bläserkapelle wie entrückt,
und um uns war nichts als Stille und Weite.

Ich fuhr nicht mit der Geschwindigkeit, wie es mir
sonst eine Freude war auf dieser langen Straße über
die Hochebene. Immer wieder sah ich den Häßlichen vor mir, die Füße nur mit einem Kartoffelsack
eingeschnürt und die Hände mit den speckigen Gum-
mihandschuhen vor den Mund gepreßt, als müßte er

einen Schrei ersticken, auf dem Kirchplatz war er plötzlich dicht neben mir niedergestürzt und reglos dort liegengeblieben. Auch Serafina schien in Gedanken versunken. Und als vertraute sie der Wirksamkeit ihrer Ermahnung an mich, beim Fahren auf nichts sonst zu achten, erzählte sie auf einmal von einer Fasnacht ihrer Jugend. Ich verstand zuerst nicht, von wem sie sprach, es mußte ihre erste heftige Liebe gewesen sein, wir waren noch so jung, sagte Serafina, so jung, am nächsten Morgen mußte er fort in die Werkstatt eines Stukkateurs in Riga, immer lag die Bitterkeit dieser Abschiede über der Fasnacht, ich hatte ihn unter den Schönen vermutet, aber da war ein Häßlicher, der sich auffällig oft in meiner Nähe verzweifelt gebärdete, und als die Bläserkapelle einmal besonders laut spielte, trat er vor mich hin, die Augen hinter den Maskenschlitzen sahen mich unverwandt an, so voller Verehrung und Verlangen, es waren seine Augen! Nach dem Abendessen unter dem Nußbaum hinter den Traktorenschuppen, flüsterte er mir zu, und schon war er fort, mit anderen Häßlichen die engen Gassen hinauf. Wäre ich sofort heimgekehrt! Aber ich war so glücklich, das Herz klopfte mir wild in Erwartung des abendlichen Treffens, ein Musikstück nach dem anderen mußte ich noch hören. Endlich bin ich nach Hause gegangen, nie ist mir die frostige Hochebene schöner und unendlicher erschienen. Der Himmel dunkelte, unsere Mutter hatte man zu einer dringenden Näharbeit gerufen, bestimmt war sie längst wieder zurück bei der kleinen Alma, die ich mit unserem Jüngsten allein ließ, sie war doch schon so verständig. Alma versprach mir, auf keinen Fall das Zimmer zu verlassen, in dem ich alle Holzkühe zum Spielen versammelt hatte. Als sich unser Haus am Ende der Hochebene abzeichnete, sah ich den glühenden Punkt, der sich mir wie ein Irrlicht näherte, einmal kleiner, einmal größer, als würde es zu Boden gedrückt und richtete sich wieder auf, eine entsetzliche Vorahnung durchzuckte mich, ich begann zu laufen, rannte wie eine Verrückte, mit letzter Kraft stürzte mir die kleine brennende Alma entgegen, im Wind der Hochebene loderte sie wie eine Fackel. Ich riß sie auf die Erde, wälzte mich mit ihr im eisigen Gras, es war zu spät!

Abrupt hielt ich am Straßenrand. Serafina schrie. Es war das Brüllen eines todwunden Tiers. Sie krallte sich am Armaturenbrett des Fiats fest und hämmerte mit dem Kopf darauf. In jenem Augenblick muß Serafina nicht mehr gewußt haben, daß ich neben ihr saß. Der alte Fiat schien zu bersten von ihrem in einer verschütteten Tiefe entfesselten Schluchzen. Über der Hochebene wölbte sich ein opaker nächtlicher Winterhimmel. Stumm streichelte ich ihre langsamer zuckenden Schultern. Serafina hob den Kopf und schaute mich an mit den Augen aus einer anderen Welt. Am unerträglichsten war mir der Anblick der winzigen Holzkuh, die ich nachher im Kaminfeuer fand, sagte Serafina, sie war kaum angesengt, Alma hatte sie wohl retten wollen, auf der Kaminbank lag noch ihr Haarband. Lange sind Serafina und ich wortlos auf der Hochebene im Fiat sitzen geblieben. Auf einmal fühlte ich eine Hand auf meinem Arm. Jetzt wechseln wir den Platz, sagte Serafina mit großer Tapferkeit, den Weg in die Schlucht hinunter fahre ich.

16

Immer noch starre ich auf den länglichen Packen in der Militärdecke, so nah vor dem Eingang der Glastür. Könnte es nicht eine der beiden Gestalten sein, die ebenso unveräußerlich zur Fasnacht in Serafinas Tal gehören wie die Schönen und die Häßlichen? Diese zwei Figuren sind von Kopf bis Fuß in dicke Schafpelze gekleidet, das Gesicht mit fettigem Ruß geschwärzt, unangefochten von allem gehen sie mit erhobener Axt mitten durch das Tänzeln der Schönen und die Wutausbrüche der Häßlichen, es sind die ältesten Gestalten der Fasnacht, ihre Herkunft liegt im Dunkeln. Erinnern sie an die ersten Einwohner, die einst in diese dicht bewaldeten Bergtäler vorstießen, die Bäume fällten und das Land in Besitz nahmen? Aber die reglose Gestalt auf dem Boden der Loggia ist nicht in einen Schafpelz, sondern in eine Militärdecke gewickelt. Je länger ich das schwärzliche Gesicht zu erkennen suche, desto überzeugter bin ich, daß es eine Frau ist. Serafinas Antwort am Telefon fällt mir wieder ein, es nützt nichts mehr, sie wegzudenken, sie sind da.

Als ich meine, Schritte vom Garten her zu hören, wende ich mich jäh ab. Ich will ins Himmelszimmer! Hat der Wirt nicht einmal gesagt, es stehe immer für mich offen? Ich kenne die Villa so gut, daß ich mich auch ohne Licht hinauftasten kann. Fluchtartig werfe ich die Wolldecke auf den Rattansessel und bin schon im Treppenhaus. Die ganze Winterfeuchtigkeit atmet mir aus den unebenmäßigen Steinstufen entgegen. Im ersten Stockwerk widerstehe ich der Versuchung, am Festsaal anzuklopfen. Der Wirt ist nicht da, die Villa war bei meiner Ankunft finster, von weitem sah ich sonst die Lampe brennen, selbst mitten in der Nacht. Auch seine Schritte hätte ich hören müssen, die alten Zwischenböden geben jedes Geräusch in vervielfachter Resonanz wieder, Serafina und ich haben ihnen oft gelauscht, wenn wir noch spät im Gartensaal beisammensaßen, der Wirt gehört zu den Schlaflosen. Manchmal schien es auch, als würde eine Leiter herumgeschoben, einzelne Gegenstände von einer Ecke in die andere gestellt. Wir rätselten vergeblich, womit der Wirt sich im Festsaal beschäftigte. So freigebig er uns von jedem Aufenthalt in Modica berichtete, so schweigsam war er, was sein Leben in der Villa betraf. Kaum werfe ich einen

Blick auf die wie immer angelehnten Türen der Gästekammern, ich will nur hinauf ins zweite Stockwerk, ins Himmelszimmer. Ich bin selbst davon
überrascht, wie mich beim Hinaufgehen über die
Steinstufen fast stürmisch die Sehnsucht nach meiner
einstigen Zuflucht erfaßt. Es sind nicht Jahre vergan-
gen. Alles wird noch da sein, das verblaßte Blau der
Wände, etwas unterhalb der weißen Decke in einen
schmalen dunkelblauen Streifen gefaßt, als wäre
das Zimmer selbst ein in die lichte Atmosphäre ge-
hängtes Bild, die Risse überall im Verputz wie Wet-
terleuchten an einem Gewitterhorizont. Im ovalen
Spiegel, pompös mit geschnitztem Laubwerk eingerahmt, werden die zwei Palmen im Garten sich neigen, ohne daß das leiseste Knattern der Blätter zu ver-
nehmen ist, nur aus den schwarzen Wäldern dringt,
langgezogen und klagend, der Ruf eines Käuzchens.
Endlich werde ich schlafen, ein paar Stunden noch
bis zum Morgen, unbemerkt von den nächtlichen
Fremden, geborgen in der Trauer.

Das Himmelszimmer ist geschlossen. Fassungslos
drücke ich von neuem die Türklinke. Sie gibt nicht
nach. In jäher Verlorenheit presse ich den Kopf gegen die Tür. Nicht daß ich auf Geräusche im Innern
des Zimmers horche, ob hier jemand schläft oder
nicht, das ist mir jetzt seltsam gleichgültig. Aber
daß mir das Himmelszimmer verwehrt ist! Nach langem Verharren kehre ich um und gehe auf den Stein-

stufen zurück ins untere Stockwerk. Die Nacht ist schon weniger dunkel. Noch von der Treppe aus sehe ich in die halboffenen Gästekammern, die aufgetürmten Kissen und Duvets auf den Betten, zugedeckt mit weißen Fransendecken, als lägen die Toten aller früheren Jahrhunderte darunter. Manchmal hatte ich, nicht ohne Schauder, eine solche Decke aufgehoben, die Menge der Kissen war mir unerklärlich, schlief man denn vor langer Zeit fast aufrecht? Die Bezüge fehlten, die groben Baumwollhüllen zeugten von unvordenklichem Alter, sie waren braun von Schweißwolken und Speichelseen. Ich hielt mich immer nur kurz in den Gästekammern auf. Ein einziges Mal mußten das Kind und ich das Himmelszimmer verlassen, weil der Marder auf dem Dachboden keine Ruhe gab. Es war ein solches Gerenne und Getrampel, eine ganze Bande der Raubtiere schien über uns herumzutollen, wir hörten das harte Aufschlagen des Schwanzes, das erregte Kreischen, das Rumpeln von umgeworfenen Gegenständen, und als ein Stück des Deckenverputzes auf uns herunterfiel, flüchteten wir in eine der Gästekammern im unteren Stock. Das Kind hatte zielstrebig eine für uns ausgewählt und schlief nach dem langen Wachsein wegen des Marders sofort ein. Ich lag neben dem Kind, ohne die Augen schließen zu können, mit einigem Unbehagen stellte ich fest, daß wir jetzt ausgerechnet in der Kammer mit dem Tapetenschrank waren, kaum bemerkbar in die getünchte Wand eingelassen, innen mit einer abblätternden Tapete voller Lavendelsträuße ausgeschlagen. Der Schrank war schmal und hoch, ohne Regale, eine erwachsene Person fand darin Platz. Das Kind hatte im Schlaf einen Arm quer über mich gelegt, ich konnte nicht aufstehen und nachsehen, ohne es zu wecken. Ein leises Rieseln im Schrankinnern hielt mich wach. Hie und da setzte es abrupt aus. Wurde denn das alte Mauerwerk vom Toben des Marders bis zu uns herunter erschüttert? Doch vielleicht waren es Mäuse, die im Tapetenschrank hausten und an den papiernen Lavendelsträußen bissen und nagten. Wenn sie nur die Wandtür nicht plötzlich aufdrückten!

In der Kammer mit dem Tapetenschrank lege ich mich auf keinen Fall hin. Unschlüssig, mit einem Gefühl des Umherirrens im vertrauten Haus, gehe ich von einer halboffenen Tür zur anderen. In der abgelegenen Kammer auf der Nordseite bleibe ich am Fenster stehen und blicke hinaus. Im Winter sind die Kastanienwälder so licht, daß man in hellen Nächten den Schatten der Äste auf dem Erdboden sieht. Der Mond muß noch hinter dem Bergmassiv verborgen sein, dennoch sehe ich etwas sich zwischen den Bäumen bewegen, auf die Villa zukommen, Gestalten, vermummte Gestalten, eine beginnt zu rennen und wirbelt dabei das dürre Laub auf, was schwingt sie nur jetzt über dem Kopf und schlägt es gegen einen Baumstamm, ist es ein Fuchsschwanz? Weitere Häßliche! Augenblicklich trete ich vom Fenster zurück. Ich habe keinen Ausweg mehr. In dieser Kammer, die ich sonst am meisten mied, muß ich den Rest der Nacht zubringen.

17

Der roten Bettdecke in dieser Gästekammer habe ich immer schon angesehen, daß sie entsetzlich kratzen muß. Sie ist schwer und aus beißender Wolle gewoben. Es bleibt mir nichts anderes übrig, als darunterzukriechen. Meine Füße und Hände sind eiskalt. An Sommertagen, wenn auch in diese Kammer schräg die Sonnenstrahlen fallen, leuchtet sie im Widerschein der Bettdecke rötlich auf. Eine warme Helligkeit ist über alles ausgegossen, nur sind dann auch die braunen Wasserstreifen, die vom Fenstersims senkrecht hinunter zum rohen Eichenboden verlaufen, in einen Rotton getaucht. Viel Wasser ist bei Gewittern und Platzregen durch die undichten Fenster hereingedrungen, doch wenn das rote Licht die Kammer überflutet, glaubt man, jemand habe bluttriefende Kleider auf den Fenstersims gelegt und von diesen tropfe es nun endlos herunter. Vielleicht ist es gut, daß es jetzt dunkel ist. Merkwürdig, von den im Kastanienwald Aufgetauchten, die wohl um die Villa herum in die Gartenloggia gegangen sind, höre ich nichts. Ich will mich auf die Seite drehen, damit mich die Bettdecke weniger am Hals kratzt. Da streift etwas, wie eine Hand, flüchtig mein Gesicht. Jäh in Panik richte ich mich auf. Wer steht am Bett? Neben mir baumelt nur die lange Kordel der Wandlampe, die hoch über dem Bett angebracht ist. Es ist eine dieser Kordeln, die so streng zum Ziehen sind, daß man fürchtet, dabei die Lampe unweigerlich herunterzureißen. Wie ein blasser Mond hängt die Porzellanlampe über mir. Der Schirm ist eine offene Blume, am Blütenrand gewellt.

Obwohl nur die Kordel mich erschreckt hat, ist mir auf einmal heiß. Ich dachte, diese Nacht gereinigt von Trauer furchtlos zu überstehen. Aber die Decke ist so schwer, mein Rücken muß schon ganz feucht sein. Oder klebt wieder das dunkelrote Pyjama im Spitalbett an mir, das ich sofort, nachdem ich aus der Narkose aufgewacht war, anziehen wollte? Es war ein glänzender chinesischer Stoff, reich mit Chrysanthemen übersät, schwarz paspeliert. Das tiefe Rot sollte mein Liebesversprechen an das Leben sein. Orion begriff nicht mehr, was vor sich ging. Doch wenn das Kind mich besuchte, würde es mich in einem fürstlichen Zustand vorfinden. Es war nicht trotziger Überlebenswille, der mich erfüllte, nur aufwühlende Erschütterung über die rettende Gestalt, die am Ende der Nacht auf mich wartete und der ich, noch einmal, mit bedingungslosem Vertrauen entgegenging. Angstschweiß, umstürzende Freude, Fieberträume um das Kind flossen ineinander, und eines Morgens lag ich in meinem klatschnassen chinesischen Pyjama. Es war mein Geburtstag. Die Pflegerin aus Indien stand am Bett und half mir beim Aufstehen, entsetzt sah ich das dunkelrot verfärbte Leintuch. Stumm wies ich mit der Hand darauf. Aber die junge Inderin strahlte, ihre weißen Zähne blitzten, und sie lachte in uneingeschränkter Bejahung. Später kam Serafina, und ich erzählte ihr, immer noch erschrocken, von dem roten Bett. Als hätte ich Blut ausgeschwitzt! Serafina sagte, manchmal ist es das Gesündeste, krank zu werden.

Oben an der Decke, direkt über mir, ist ein schwarzer Fleck. Der war vorhin nicht dort! Angestrengt fasse ich ihn ins Auge. Es ist eine fette Spinne. Das ist das Erstaunliche an diesen Tieren, wie sie plötzlich einfach da sind. Ich kenne sie zu gut, um mich zu fürchten. Als die Spinne aber vorsichtig ein paar ihrer langen angewinkelten Beine ausfährt, wünsche ich doch sehr, sie möge da oben ruhig einschlafen. Ich könnte sie mit der Lampenkordel herunterwedeln oder zumindest verscheuchen, doch sehe ich schon voraus, wie die Spinne sich dann an einem Faden etwas abseilt, noch in ziemlicher Höhe großsprecherisch hin und her schwingt, um blitzschnell auf meiner Bettdecke zu landen. Sie wird sich mit ihren zitterigen Beinen im groben Wollstoff verfangen und vor meinem Gesicht herumkrabbeln, eine leere Schuhschachtel habe ich auch nicht zur Hand, mit der ich sonst Spinnen einfange und zum Fenster hinauswerfe, wo sie selbst in der schwachen Nachthelligkeit sichtbar noch im Fall unverzüglich die strichdünnen Beine ausbreiten und so sanft gebremst schwebend in der Dunkelheit verschwinden.

18

Wenn ich mich nicht bewege, kratzt die grobe Bettdecke kaum. Doch reglos und gerade ausgestreckt kann ich mich der Müdigkeit nicht erwehren. Sie kommt in immer stärkeren Wellen. Ist es möglich, daß in dieser klaren Februarnacht Nebel aus der Ebene das Haus erreicht haben? Etwas Unruhiges, Dunstiges weht in kurzen Abständen am Fenster vorbei. Aber ich liege schon nicht mehr in der roten Kammer. Es ist eine warme Sommernacht, und trotzdem sind noch viel dichtere Nebelschleier vor dem Fenster. Oder ist es Rauch, schwerer beißender Rauch? Das Fenster ist geschlossen. Ich halte das weißgekleidete Kind im Arm, es ist noch so klein, erst wenige Tage ist es auf der Welt! Orion versprach zu seiner Ankunft hoch oben im Tal ein nie gesehenes Feuerwerk, Sonnen, Monde, Planeten, Meteoriten, ganze Galaxien wollte er bis über die Schlucht hinausjagen, er ist der berüchtigtste Pyrotechniker unseres Dorfes. Berauscht von Glück hantiert und gestikuliert er im Garten. Er feuert laut seine Raketen an, befiehlt ihnen die Flugrichtung, aber sie beantworten sein anspornendes Schreien nur mit Qualm. Orion muß die Zündstäbe verkehrt herum eingesteckt haben. Der Qualm wird immer undurchdringlicher, er wogt zu meinem Fenster hoch, es zischt, knistert und knattert wie von Maschinengewehren im Garten. Orion ist längst unsichtbar im Rauch. Die großen Feigenblätter schwimmen als Quallen darin, die hohen Malven ertrinken. Kein einziger Funke mehr springt durch die sich immer schwärzer färbenden Rauchschwaden. Das Kind atmet ruhig in meinem Arm. Wieder schaue ich mit Staunen in seine dunklen Augen, so anders als die meinen, von Anfang an sein eigenes, unabhängiges Wesen bezeugend. Der Qualm steigt, er hüllt nun auch uns am Fenster ein, und als ahnte ich in diesem Augenblick alles zukünftige beseligende Glück und alle Verzweiflung, drücke ich das Kind an mich, wie in einem neuerlichen Schwur der Liebe und Treue.

19

Zwischen Aufwachen und Wegsinken in den Schlaf werden die Rauchschwaden vor dem Fenster heller und luftiger, es ist immer noch ein heftiges Wogen, aber woher kommt der rötliche Schimmer darin, dringt denn der Widerschein der Bettdecke bis ins Freie? Licht und glänzend ist jetzt das Rot, es schwankt und neigt sich uns entgegen und wird wieder hochgewirbelt, es sind üppig blühende Sträucher, Oleander! Er wächst endlos, in überbordender Fülle entlang der Autobahn, plötzlich, nach spärlich beleuchteten Tunnels, maroden Brücken, ausgetrockneten Hügeln, diese Explosion von Oleanderblüten, vom Fahrtwind in unaufhörlicher Bewegung. Sie künden das Meer an. Wer sieht es zuerst? Den silberblauen Streifen? Er birgt schon die wartende Fähre in sich, die noch ferne Insel, alle Verheißungen des Sommers. Da! Oder dort? Wir lassen uns in der freudigen Erregung leicht täuschen. Orion beteiligt sich nicht an der Wette. Er sitzt stumm und seltsam starr neben mir. Sein Gesicht ist bleich vor Erschöpfung, ich wage kaum, kurz die Schweißtropfen auf seiner Stirn anzuschauen. Ich habe ihm zuviel zugemutet. Orion wirkt in seiner totenähnlichen Müdigkeit weit entrückt von uns. So zuversichtlich, voller Stolz auf meine erste Fahrt ans Meer habe ich diese Reise angetreten, jetzt fiebern das Kind und ich dem Auftauchen des blauen Silberstreifens entgegen, wir glauben ihn schon zu erhaschen, doch es ist nur ein blauglasiertes Ziegeldach. Ich bin nicht ganz gegen das Hochgefühl der Geschwindigkeit entlang den wogenden Oleandersträuchern gefeit, so flammendrot tanzen sie in der Hitze, ich beschleunige und will auf die Überholspur, da reißt mir Orion in Sekundenschnelle das Steuer herum. Ein weißer Wagen rast haarscharf an uns vorüber. Im Rückspiegel war nichts. Orion hat uns das Leben gerettet.

20

Wir aber waren nicht bei Orion, als er in einer Winternacht gegen die niedrige Mauer prallte. Hoch oben im Tal schliefen wir bei dichtem Schneefall, der am Abend eingesetzt hatte. Durch die halbgeschlossenen Fensterläden schien, von den unaufhörlich niederrieselnden Schneeflocken gedämpft, ein matter Abglanz des Lichterbaums auf unsere Bettdecke. Groß und einsam brannte er jede Nacht auf dem Dorfplatz. Das Gesicht des Kindes war in eine sanfte Helligkeit getaucht und zuckte nicht einmal im Traum zusammen, als das Wandtelefon im Gang schrillte. Wo, fragte ich, wo denn nur, und konnte es nicht fassen, daß man sich auf einer kurzen Seitenstraße, unten in der Ebene, so zu Tode fahren konnte. Noch lange nachdem Orion ins Leben zurückgeholt worden war, wollte ich die Stelle beim Vorbeifahren nicht anschauen, obwohl der lächerlich verbogene Lampenpfahl unübersehbar darauf hinwies. Eines Tages aber, als die Robinien schon begannen, weiß die Hänge hinaufzuschäumen, war die Macht des Ortes stärker als ich. Ich mußte anhalten. Die Blutlache war inzwischen fast schwarz geworden und hatte sich völlig in den Asphalt eingefressen. Nur der eingedrückte Lampenpfahl krümmte sich noch immer, und das zertrümmerte Mäuerchen hatte man belassen. Jedesmal mußte ich nun, stets von neuem, hinschauen, bis das Blut durch den Asphalt wieder hinaufdrückte, es ist dasselbe Blut, das vom Fenstersims in dünnen Streifen auf den Eichenboden hinunterrinnt, hier, in der roten Kammer.

2 1

Die Spinne an der Decke ist weg. Ich muß geschlafen haben. Jetzt erst fällt mir ein, daß ich bei meinem fluchtartigen Verlassen des Gartensaals mein Handy im Rattansessel zurückließ. Leichte Beute für die Maskierten in der Loggia, denke ich, aber es ist mir auf einmal unwichtig. In der Luft liegt untrüglich ein Geruch von Rauch. Sind die Häßlichen in die Villa eingedrungen und haben im Marmorkamin ein Feuer angezündet? Doch davon wäre ich aufgewacht. Es ist ganz still. Vorsichtig bewege ich die Beine unter der roten Bettdecke. Die Spinne krabbelt nirgends hervor. Es ist auch kein Bein von ihr an einer groben Wollfaser hängengeblieben. Die Geschichte vom absichtlichen Beinverlieren der Spinnen wollte das Kind immer wieder von Serafina hören. Es graute ihm vor den Skorpionen, die manchmal im Herbst plötzlich in der Badewanne saßen. Vor allem fürchtete es sich vor den ausgeprägten Fangarmen, die gar nicht zu dem eher kleinen Körper passen wollten. Du mußt es machen wie die Spinnen, sagte Serafina, die sind klug! Ein Skorpion nimmt eine Spinne schon wahr, bevor sie in greifbarer Nähe ist, auch nicht die schwächsten Vibrationen in seiner Umgebung entgehen ihm. Da hockt der Skorpion nun und lauert, seine Fangarme zittern vor Gier, mit einer einzigen sekundenschnellen Bewegung packt er die Spinne, aber diese verliert einfach ein Bein und hastet flugs davon, und der Skorpion, der glücklicherweise sehr schlecht sieht und im Grunde nur Sonnenlicht und Mondschein voneinander unterscheiden kann, konzentriert sich auf dieses komische hinterbliebene Bein, dreht und wendet es, hebt es mit seinen Fangarmen auf und läßt es wieder fallen, während die Spinne längst über alle Berge geflüchtet ist. Aber ich kann doch nicht mein Bein in der Badewanne lassen! rief das Kind, und Serafina hob es auf mit ihrem warmen Lachen und lockerte scherzhaft eines seiner Beine. In solchen Augenblicken, obwohl Serafina dann vielleicht gerade am wenigsten daran dachte, fiel mir die brennende Alma ein. Nie, sagte Serafina einmal, hätte sie eigene Kinder haben können, es wäre ihr wie ein Frevel an der kleinen Alma erschienen, auch wäre sie von der Furcht verfolgt gewesen, ein eigenes Kind zur Sühne hergeben zu müssen. Und was ist aus ihm geworden, fragte ich, der an jenem Abend vergeblich unter dem Nußbaum hinter den Traktorenschuppen wartete? Serafina sah mich schwei-

gend an und wandte sich ab. Er ist nie mehr aus Riga
heimgekehrt, sagte sie.

Eine noch nächtlich fahle Helligkeit zeichnet sich
hinter dem Fenster ab. Ist der Nebel nach Mitternacht so zerfasert, daß er nun als dünne Schleier-
streifen zwischen den Kastanienbäumen durchzieht?
Aber ich bin mit meinen Gedanken bei Serafina. Sie
will zur Totenmesse aus ihrem Tal zurück sein. Wäre
sie schon da! Serafina wußte damals, als ich im Unglück war, wie voreilige Tröstungen verletzen. Und
wie der ungerechte Zorn auf die Lauen in einem
wächst und man aus Treue an den Abgründen fest-
hält. Jahre vergehen, und die Zeit heilt nichts. Sie
macht uns nur mutig, unsere Erschütterungen zu tragen. Ich weiß nicht, wie lange ich schon durch das
Fenster in die immer deutlicher hervortretenden Bäume hinausschaue, ohne etwas wirklich zu sehen. Jäh
fahre ich auf. Das ist kein Nebel, der zwischen den
Ästen hängt! Es sind Rauchschwaden, die sich langsam verflüchtigen. Rasch schlage ich die rote Bettdecke zurück und eile ohne Schuhe hinunter zum
Gangfenster im ersten Stock. Mir stockt der Atem.
Der ganze Garten ist voller schlafender Gestalten!
Sie liegen halb übereinander unter den Ginstersträuchern, zusammengedrängt in den niederen Buchsrondellen, ausgestreckt zwischen den Töpfen mit
den Zitronenbäumchen. Sind denn so viele Häßliche
durch die Schlucht heraufgekommen? Und keine

Schönen unter ihnen, kein einziger? Nirgends entdecke ich eine Fasanenfeder, weiße Margeriten auf
einem Strohhut, glitzernde Perlenschnüre, und es
dämmert so zögernd, daß ich nicht unterscheiden
kann, ob die Häßlichen verkleidet sind oder nicht.
Hat irgendein Verrückter ihnen heißen Risotto beim
Wirt versprochen? Sie haben wohl in der Gartenloggia
ein Feuer angezündet, das inzwischen erloschen ist.
Ich muß in den Festsaal!

III

MORGEN

I

Mit bedenkenloser Unbedingtheit öffne ich die Tür
zum Festsaal. Ein Satz schießt mir durch den Kopf,
den beim letzten Erdbeben der Wirt zu mir sagte,
von Süden preßt die afrikanische Erdplatte Italien
wie einen Sporn in den europäischen Kontinent. Es
ist noch düster im Innern, der Wirt ist gewiß nicht
hier, aber würde er jetzt von seinem Bett aufstehen,
packte ich ihn am Arm, sie sind da! würde ich rufen,
wir müssen Risotto kochen! Und dann bin ich doch
überwältigt von der zu erahnenden Schönheit des
Saals. Er muß höher als der unter ihm befindliche
Gartensaal sein und scheint fast leer. Die Decke ist
geschmückt mit bewegten Stuckfigurationen, sie um-
schließen Freskenmedaillons, die sich als Kranz um
ein Mittelbild legen, das sofort den Blick anzieht.
Im Zwielicht kann ich eine frontal in der Mitte sitzende Figur unterscheiden. Aber der Wirt! Wo hat
er sich eingerichtet? Auf einen leeren Saal war ich
am wenigsten vorbereitet. Erst jetzt sehe ich in einer
Ecke, nur leicht erhöht, ein sorgfältig ausgebreitetes
Tierfell liegen, darunter vielleicht eine Matratze, daneben eine niedrige Sitzbank mit einem Wust von Pa-
pieren und aufgeschlagenen Büchern. Und ganz hin-

ten an der Saalwand, steht dort wirklich eine Leiter?
Mich beschäftigen jetzt andere Dinge. Konsterniert
betrachte ich die Flügeltür. Sie hat weder Schlüssel
noch Riegel! So bin ich also hier, in meiner letzten
Zuflucht, endgültig ohne Sicherheit. An ein Fenster
des Festsaals zu treten, wage ich nicht mehr. Vom
Garten her müßte ich schon wie ein Schatten erkennbar sein. Aufatmend stelle ich noch fest, daß der Saal
keinen Steinfußboden hat, sondern ein altes Parkett.
In einem Anfall von Ausweglosigkeit lege ich mich
darauf nieder.

2

Habe ich zu lange zur Stuckdecke hinaufgestarrt, in
der vier große ornamentale Muscheln immer deutlicher hervortreten? Ich erwache aus einem Traum,
der mich damals verfolgte, vor unserer traurigen Reise nordwärts, über den Gotthard, meinem Fluchtge-
birge. Die Tage auf der Insel im Mittelmeer sind wieder da, am Morgen und am Abend rede ich mir zu,
die Zeit der Verzweiflung ist um, jetzt gilt es zu handeln, furchtlos, umsichtig, klar. Aber in der Nacht
stehe ich am Meer, das aus einer schwarzen Unend-
lichkeit gegen die Felsen rauscht, bedrohlich türmen
sich die dunklen Wellen und überschlagen sich am
Ufer, doch direkt unter mir ist eine erleuchtete durchsichtige Wasserfläche, das Licht scheint hinunter bis

auf den Meeresgrund, und dort in der Tiefe sehe ich das Kind und mich in unserem alten Toyota sitzen, eine Seite ist völlig ausgebrannt, wir sitzen ruhig in der übriggebliebenen Hälfte wie in einer offenen Muschel.

An der hinteren Saalwand, gegenüber der Gartenseite, steht tatsächlich eine Leiter, die fast bis zur Decke reicht. Ich meine sogar, auf dem obersten Absatz eine Konservenbüchse mit Pinseln auszumachen. Eines unserer Abendgespräche mit dem Wirt fällt mir ein, bei dem er erzählte, daß er früher in Sizilien als Restaurator gearbeitet hatte und berühmt war für seine absolute Schwindelfreiheit. War irgendwo an einer Kuppelmalerei oder einem Stuckbogen ein kleiner Schaden entstanden, für dessen Reparatur man nicht eigens ein Gerüst aufstellen wollte, wurde er geholt. Ungerührt stieg er halsbrecherische Leitern hinauf und machte sich ans Werk. Erst kürzlich hatte man ihn in Modica ausfindig gemacht und nach Enna gerufen, da im Dom wieder einmal eine Stuckrosette auf den Marmorboden heruntergefallen war. Es war ein schneidend klarer Vorfrühlingstag, in Enna wehte ein eisiger Wind. Er lehnte die leicht durchgebogene hohe Holzleiter an die mit Stuck verzierte und von Säulen getragene Wand des Mittelschiffs. Das Ende der Leiter kam neben einem kleinen Fenster mit Malereien zu liegen, und durch eine herausgebrochene Glasscheibe sah er weit hinaus in die Landschaft. Schneeweiß schimmerte in der Ferne der Gipfel des Ätna, am Horizont ununterscheidbar in der Bläue Himmel und Meer, und wie in Wellen gegen Enna brandend Hügel um Hügel, Tal um Tal der sizilianischen Erde, noch nicht von der Sonnenglut gemartert und unendlich fruchtbar. Plötzlich fühlte er einen rasenden Schmerz. Auch er hatte Sizilien verlassen! Und vor ihm waren schon so viele gegangen, und andere kamen jetzt übers Meer. Zu Tausenden. Er hatte in Pozzallo, beim Vorbeifahren dem Meer entlang, die am Strand aufgestellten Flüchtlingsboote gesehen, alte, lädierte, rostige Boote, wie aufgehängte verwesende Schwertfische, vorderhand beschlagnahmt und hinter Drahtzäunen abgesperrt. Und längst trafen sie aus Libyen nur noch in Schlauchbooten ein, neun Meter lang und ein Meter fünfzig breit, hatte ihm jemand von der Küstenwache erzählt, darin bis zu hundertzwanzig Menschen. Stehend. Der Wirt rührte den Mörtel, knetete die Stuckmasse, noch ungeformt drückte er sie auf die Abbruchstelle, rundete, glättete, zupfte die Rosette mit rabiater Geschwindigkeit heraus, ein hellsichtiger Zorn trieb ihn fort. So rasch stieg er die Holzleiter hinunter, daß sie zu schwanken begann, im letzten Drittel angekommen, sprang er mit einem Satz in die Tiefe. Hinter ihm krachte die Leiter auf den Marmorboden des Mittelschiffs. Er wandte sich mit keinem Blick nach ihr um und eilte ins Freie. Auf der Domverwaltung riß er die Tür auf und schleuderte dem schläfrig hochblickenden Beamten ins Gesicht, das war die letzte Rosette für Enna! Es gibt so viel anderes zu tun.

3

Deutlich sehe ich uns wieder im dunkelnden Gartensaal sitzen, den Wirt, Serafina und mich. Serafina ist in ihrem Rattansessel eingenickt, sie hat eine der unbenützten Gästekammern geputzt, jeden Frühling und Herbst ist eine an der Reihe, der Wirt findet das unnötig, aber sie läßt sich nicht beirren. Heute stand die Kammer mit dem Tapetenschrank auf ihrer Liste, es gab gleich eine unliebsame Überraschung. Der Wirt hörte Serafinas spitze Schreie, und als er hochging, fand er Serafina kniend vor dem offenen Tapetenschrank. Mit beiden Händen schaufelte sie winzige Papierfetzchen wie Konfetti aus dem Schrankinnern auf den Eichenboden. Dieses Mäusevolk! rief sie. Der untere Teil der Tapete mit den Lavendelsträußen war vollständig zerfressen. In der ganzen Villa suchte Serafina nach einem passenden Ersatz, schließlich zerschnitt sie ein Wachstischtuch, mit Mohnblumen gemustert, und überklebte damit die beschädigten Stellen. Etwas zu rot, seufzte Serafina, verglichen mit den zarten Lavendelsträußen! Wer sieht das denn schon, begütigte der Wirt, und wer übernachtet hier überhaupt noch? Aber Serafina beharrte darauf, daß immer wenigstens eine Gästekammer frisch hergerichtet sein mußte. Sie hängte auch stets ein gebügeltes weißes Gesichtstuch über die Stuhllehne, eines jener feinen fadenscheinigen Tücher, die man in italienischen Hotels vorfindet, von einer Weichheit sondergleichen, da sie wohl schon viele hundert Male durch die Mangel gezogen worden waren. Manchmal schlich ich in eine der Gästekammern und drückte mein Gesicht in ein solches Tuch, alle ersten Italienfahrten lebten wieder auf. Es mußte ein Nachtzug sein, bald kletterte ich in mein Couchette und sah auf dem Bauch liegend in die Dunkelheit hinaus, finster und gewaltig türmte sich das Gebirge dem Gotthard zu, dann die donnernde Fahrt durch den Tunnel, wieder Felsen und Schluchten, endlich ein paar Lichter, schlafende Dörfer, verlassene Orte, der schwarze See, die Grenze, Fabrikareale, spärlich erhellte Bahnhöfe, die unvergeßlichen Lautsprecherstimmen draußen in der Nacht, Milano Centrale! Bologna Centrale! Und in der Frühe das Ankommen in einer Stadt, in der gerade die Beleuchtung erlosch, das leicht frierende Herumschlendern, bis eine Bar öffnete, ein billiges Hotel, aber dort wartete eines dieser dünnen weichen weißen Tücher, in dem man nach dem Waschen mit chlorigem Wasser das übernächtigte Gesicht verbarg, beseligender Beweis, in Italien zu sein.

Der Wirt fährt fort, etwas leiser, um die eingeschlafene Serafina nicht aufzuwecken, und zunehmend mehr an sich selbst als an mich gerichtet, von seiner Rückkehr hinunter vom hochgelegenen Enna zu erzählen, von diesem Enna, das vor mehr als zweitausend Jahren nach einer Revolte gegen die Landbesitzer einen syrischen Sklavenkönig gekannt hatte, und von dem aus an diesem frostigen Vorfrühlingstag sich die anderen Felsenstädte so überscharf abzeichneten, als wären die Hügel durchsichtig geworden. Wie trostlos erschienen ihm diese Städte auf den Felsplateaus in ihrer steinfarbenen Monotonie, und wie wunderbar fügten sie sich in die Landschaft ein. Er kannte diese Städte, voller häßlicher Bauten, aus Platzmangel mußte Altes immer wieder abgerissen werden, doch jetzt waren so viele Häuser unbewohnt. In den Ebenen reihten sich Treibhäuser an Treibhäuser, gigantische Plastikhallen, in denen unsichtbar Migranten arbeiteten, dazwischen wie bunte Würfel Kleinbusse, in denen sie zusammengepfercht in noch entlegenere Treibhäuser geschafft wurden oder abends in einsame Barackensiedlungen. Warum konnte man die verödenden Felsenstädte nicht wiederbeleben? Seit jenem Tag in Enna, sagt der Wirt, brodeln in meinem Kopf die Ideen, lege ich mich mit Behörden an, habe ich Streit mit so manchem Bürgermeister! Und was ist, frage ich, mit Modica? Serafina hat sich in ihrem Sessel gerührt. Der Wirt verfällt in Schweigen. In der Dämmerung sehe ich kaum noch die Konturen seines Gesichts. Aber was redet er auf einmal von einer Steineiche? Und doch, sagt der Wirt, nach allen vergeblichen Anläufen, allen irren Verhandlungen, allen zermürbenden Querelen, das verblaßte Blatt einer Steineiche nachzumalen, halb vom Wind gewendet, der Oberseite den dunklen Glanz wiederzugeben, der Unterseite das filzige Grau! Ich muß ihn überrascht angeblickt haben. Oder den kleinen schwarzen Fleck auf dem gespitzten Ohr eines Leoparden, fügt der Wirt lebhafter hinzu, die fehlende Saite einer Leier! Serafina erhebt sich verwirrt aus ihrem Rattansessel. Wollte ich heute abend nicht noch das Kastanienlaub zusammenrechen?

4

Mir ist kalt. Ich muß das Tierfell in der Ecke holen, sonst erfriere ich. Vorsichtig krieche ich über das Parkett, ich darf nicht das geringste Knarren verursachen. Das Tierfell ist so weich, ungläubig fahre ich mit den Fingern hindurch, es fühlt sich so lebendig an, daß ich erschauere. Es ist ein Hasenfell, mehrere Stücke sorgfältig aneinandergenäht, die Bauchseiten schimmern hell. Nach einem letzten Zögern ziehe ich es zu mir heran, tatsächlich liegt eine Matratze darunter. Wie eine liebe Beute raffe ich das Fell an mich und schleife es über das Parkett zurück an meinen Platz unter dem Mittelbild des Festsaals. Dort wickle ich mich bis zum Kinn fest in das Hasenfell ein, und mit der erwachenden Wärme strömt ein Gefühl der Geborgenheit durch meinen Körper. Nichts mehr kann mir in dem Tierfell etwas anhaben. Wenn nun doch einer der Häßlichen herauf in den Festsaal käme, würde er nur denken, ein anderer Häßlicher liege schon schlafend hier.

Indessen ist es still. Ich ertappe mich, daß ich mit geschlossenen Augen auf Schritte horche, die Schritte des Wirts über mir. Dabei bin ich doch jetzt selbst im Festsaal! Aber alles an mir ist ein Horchen in die vergehende Nacht hinaus, das ganze Leben ist nichts anderes als ein Horchen auf Schritte. Am meisten fürchtete ich mich, als das Kind und ich noch im Dorf lebten, vor dem Tappen und Torkeln über die ausgetretenen Steinstufen im dunklen Treppenhaus, dem ein Kratzen an der Wohnungstür folgte wie von den Pfoten eines streunenden Hundes. Dennoch sollte ich später, innehaltend vor Orions Arbeitslokal, nichts so sehr erhoffen, wie seine Schritte wieder zu hören, den federnden Gang zwischen den Zeichnungstischen, beflügelt von verschiedenen Entwürfen. Alles blieb stumm. Und wenn ich endlich die Tür öffnete, stand Orion in seinem langen schwarzen Mantel bei weit offenen Fenstern, durch die der Frühlingsregen hereinprasselte, bewegungslos mitten in seinen Modellen und Planrollen. Langsam wandte er den Kopf und sah mich an mit leeren Augen. Wie bestürmten wir Orion, wieder einmal eine jener wilden, rasch hingeworfenen Zeichnungen anzufertigen, auf irgendein Packpapier, riesige Katzen mit flammendem rotem Pelz, grinsende Kugelfische, Eulen mit Strahlenohren und goldsprühendem Gefieder, alle umeinander wirbelnd in furiosem Tempo. Den ganzen Tag hast du Zeit! rief das Kind. Am Abend betraten wir erwartungsvoll Orions Arbeitslokal. Auf einem der Tische lag ein weißes Blatt. Nur eine Spur von Schritten war eingezeichnet, Abdrücke wie in Wüstensand, die in die Ferne zu einer geraden Horizontlinie führten, als wäre die Erde eine flache Scheibe und kippten die Schritte dort ins Nichts. Das Kind sah auf und brach in Tränen aus. Ich drücke das Hasenfell enger an mich. Seine Schritte möchte ich wieder hören, die Schritte des Kindes, mit den unregelmäßigen kleinen Hüpfern, hinter mir in den regenglänzenden Gassen des Dorfes. Das labyrinthische Plätschern der Brunnen habe ich wieder im Ohr, die Kinderbanden von einst flitzen um die Hausecken, ducken sich in Kellereingänge voller Modergeruch, jagen einander bis Mitternacht. Plötzlich schießt das Kind hinter aufgeschichteten Holzscheiten hervor und wirft mich über den Haufen, verschwitzt und zitternd vor Glück schlingt es die Arme um meinen Hals, wir hatten ein Schicksal, Abgründe, und diesen verzehrenden Lebenshunger. Wie reich waren wir.

5

Mit der wiedergefundenen Wärme überfällt mich erneut Schläfrigkeit. Aber ich muß wach bleiben. Ich bin froh, der roten Kammer entronnen zu sein. Und doch, wie hing ich von klein auf an allem Roten. Diesen Wintermantel möchte ich! sage ich zu meiner Mutter im Kleidergeschäft an der Herrengasse, diesen Mantel und keinen anderen! Ich fahre mit den Händen bewundernd über den feinen Stoff, greife in die Seitentaschen, als gehöre er schon mir, er leuchtet in einem so kräftigen Rot. Ein jäher Schatten liegt über dem Gesicht meiner Mutter. Ich will nicht wissen, woran sie denkt. Warum nur teilt sie meine Freude an dem schönen Mantel nicht? Erst Wochen danach ahne ich, daß sie schon den schwarzen Trauerzug vor sich sah, und ich in dem roten Mantel hinter dem Sarg meines Vaters. Daß an jenem Wintermorgen dann unablässig Schnee fallen würde, in dem die Pferde des Leichenwagens immer wieder auszurutschen drohten, dichter Schneefall, der alles zudeckte mit seinem lautlosen Weiß, konnte meine Mutter nicht vorhersehen. Sie muß den roten Mantel als einzigen Schrei empfunden haben, eine ungehörige Lebensfackel. Ich aber bin fast noch ein Kind, mit diesem Glauben, der Berge versetzt, mein Vater wird wieder gesund werden! Unverrichteter Dinge verlassen wir das Geschäft an der Herrengasse. Wir lassen dir etwas aus dem Wintermantel des Vaters schneidern, sagt meine Mutter, und ich bin fassungslos über diesen Vorschlag, mir kommt nicht einmal in den Sinn zu fragen, warum denn mein Vater seinen Mantel nicht mehr brauche. Es handelt sich um einen festen grauen Stoff, nie wäre es mir eingefallen, einen grauen Mantel auszuwählen! Der große Mantel wird tatsächlich aufgetrennt und mir angepaßt. Nur so vielleicht wird meine Mutter den Schmerz ausgehalten haben, uns hinter dem Sarg des Vaters zu sehen, ich als seine kleine Fortsetzung, die ihm so sehr glich, mit meinem Temperament, seiner Augenfarbe, demselben Haar.

Auf der Insel Lesbos türmen sich Kleiderhaufen, deren Herkunft nicht mehr lesbar ist und die niemandem mehr Vermächtnis sein können. Verschmutzte, durchnäßte, verkotete Kleider. Darüber geworfen die orangen Schwimmwesten, den Abfallberg signalisierend. Wenn ein frostiger Wind auf Lesbos weht, ereignet sich manchmal ein seltsamer Moment. Die Ankommenden aus dem Meer werden in goldfarbene Thermofolien eingeschlagen, und für kurze Zeit stehen sie dann wie mit einer unbekannten Königswürde bekleidet am fremden Ufer. Aber schon muß fast alles auf den Müllhalden zurückgelassen werden, die Kontrollen drängen, man klammert sich an ein Handy, eine Armbanduhr, eine Daunenjacke. Die Umhängetasche mit den glänzenden Metallbeschlägen der jungen Schwarzen in unserem Dorf war wohl auch so ein letztes Gut, mit dem sie einen Kontinent herumtrug. An einem Winterabend, als die schwachen Lampen in den dunklen Gassen noch nicht brannten, war ich einmal brüsk mit ihr zusammengestoßen. Gedankenverloren, hatte ich die unförmige Tasche zu spät bemerkt. Entschuldigend strich ich über das steife Leder, das vielleicht nur Plastik war, und blieb vor der jungen Frau stehen. Ohne die Kopfhörer aus den Ohren zu nehmen, sagte sie in einem etwas ungewohnten melodiösen Französisch, wenn sie dich erwischen, verbrennen sie deinen Rucksack, ziehen dir die Schnürsenkel aus den Turnschuhen, zertrümmern dein Handy, aber! Sie lachte grell auf und hämmerte triumphierend, als wäre es eine Trommel, mit beiden Händen auf ihre Tasche. Ich habe die junge Frau danach nie mehr bei uns gesehen. Monate später traf sie jemand aus dem Dorf an einer Bushaltestelle jenseits der Grenze. Sie trug immer noch ihre Umhängetasche mit den glänzenden Metallbeschlägen und die Kopfhörer. Sie sei unerwartet gesprächig gewesen und habe erzählt, sie arbeite nun in der Kirche Maria zum Schnee, die zur Autogarage umfunktioniert worden war, als Putzkraft.

Der Wirt hat einmal eine eigenartige Scheu der Einwohner von Pozzallo erwähnt. Bei all ihrem Entgegenkommen den Flüchtlingen gegenüber waren sie nicht dazu zu bewegen, nach Eintreffen eines

Schlauchbootes beim Aufräumen am Strand zu helfen. Es mußte jedesmal ein kleiner Schaufelbagger angefordert werden. Die Leute von Pozzallo standen zwar herum, brachten Decken und heißen Kaffee, aber sie hätten nie eines der weggeworfenen Kleidungsstücke angerührt. Der Wirt konnte es sich nicht anders erklären, als daß eine tiefsitzende Furcht vor jedem Strandgut in den Menschen überlebt hatte, eine schattenhafte Erinnerung an die Pestzeit. Damals waren in der Nähe von Pozzallo am Strand Kleider angeschwemmt worden, die von einem gesunkenen verseuchten Schiff stammen mußten. Nach ihrem Einsammeln brach in der Gegend unaufhaltsam die Pest aus. Ich fahre mit beiden Händen über das Hasenfell, in das ich mich eingewickelt habe, streichle es gegen den Strich, wobei nur der sanfteste Widerstand, wie bei einem leisen Wellengang, spürbar ist. Was würde der Wirt sagen, wenn er mich hier so sähe?

6

Der Wirt hatte etwas vor mit Modica. Seit jenem eisigen Vorfrühlingstag, als er im Dom von Enna die lange Holzleiter hinunter auf den Marmorboden krachen ließ, kreisten seine Gedanken um die vielen unbewohnten Häuser seiner Geburtsstadt. An so manchen Gebäuden, oft Tür an Tür, hingen die weißen

Anschläge, auf denen in fetten schwarzen Buchstaben Verkauf oder Vermietung angezeigt wurden. Vor allem in der Oberstadt konnte man alte Wohnungen zu einem Spottpreis beziehen. Sein Nachbarhaus stand seit Jahrzehnten leer. Eines Morgens, als er in der Unterstadt die Zeitung holen wollte, wäre er fast über einen eingerollten Teppich vor seiner Tür gestolpert. Ein zerschlissener durchlöcherter Perser, das sah er sofort, bestimmt eine jener Schikanen, mit denen Heimkehrer manchmal bedacht wurden! Er war schon dabei, den Teppich mit dem Fuß wegzustoßen, als sich darin etwas zu regen begann. Eines der zerfransten Teppichenden wurde zurückgeschlagen, und er blickte in ein erschrockenes Frauengesicht. Es zeichnete sich aber augenblicklich eine solche Panik darauf ab, daß er unwillkürlich wieder ins Haus trat, in der Verlegenheit rief, ich hole einen Kaffee, und als er mit der gefüllten Tasse sich der Frau näherte, ihr diese aus ziemlichem Abstand überreichte. Sie ergriff die Tasse unverzüglich und umschloß sie mit beiden Händen, ihm schien, sie wolle sich vor allem daran wärmen, vom Kaffee trank sie keinen Schluck. Es gelang dem Wirt nicht, mit der Frau in ein Gespräch zu kommen, sie war inzwischen aufgestanden, klammerte sich weiter an den Teppich und sagte ein paar ihm unverständliche Worte. Ihre feinen Gesichtszüge entgingen ihm nicht, nur ihre Augen waren so aufgequollen, daß er kaum deren dunkle Farbe erkennen konnte. Hatte sie Schmerzen oder war sie derart geschwächt, daß sie immer von neuem mit fahrigen Bewegungen den abgewetzten Teppich an sich drückte, als gelänge es ihr nur so, aufrecht zu stehen? Während der Wirt sie ratlos betrachtete, bemerkte er ihre eingerissenen, blutverkrusteten Ohrläppchen. Kurz war er in Versuchung, die Frau in das unbewohnte Nachbarhaus zu bringen. Da fiel ihm die verglaste Pergola in seinem Garten ein. Sie war der Lieblingsaufenthalt seiner Mutter gewesen, in den heißen Sommernächten schlief sie sogar dort. Das Eingangstor zum Garten war während seiner Abwesenheit längst entwendet worden, die Frau mußte nicht fürchten, eingesperrt zu werden. Er bedeutete ihr zu folgen, was sie nur nach heftigem Zögern und mit sichtlichem Mißtrauen tat, doch nach wenigen Schritten um die Hausecke sah man schon durch den Garteneingang hinter hochgeschossenen Rosmarinsträuchern die Pergola. Der Wirt wies darauf hin und nickte mehrmals der Frau ermunternd zu, schließlich schien sie begriffen zu haben. Die Pergola war nur auf drei Seiten verglast, auf der Liege seiner Mutter hatten sich schillernde tote Käfer und braune Oleanderblüten angesammelt. Er schüttelte die Decke, jahrealter Staub wirbelte auf, dann ging er wieder hinaus und ließ die Frau eintreten. Sie wickelte den Teppich enger um sich, blieb vor der Liege stehen und starrte reglos darauf nieder. Der Wirt entfernte sich durch den Garten, erst als ihn die Rosmarinsträucher und der hohe wilde Fenchel etwas verbargen, drehte er sich

um. Die Morgensonne drang jetzt in die Pergola, die
Frau mußte sich bereits hingelegt haben.

7

Der Wirt berichtete uns diese Begebenheiten aus Modica so ausführlich, daß Serafina und mir oft war, wir
sähen alles mit eigenen Augen. Andrerseits beflügel-
te nichts so sehr den Wirt in seinem Erzählen, als
wenn Serafina dabei in ihrem Rattansessel einnickte,
der Gartensaal in der Dämmerung versank und nur
noch von den Zitronenbäumchen in der Loggia ein
schwacher Schein ausging. Abendliche Gäste wurden seltener. Den Wirt aber verfolgte noch immer jener Vorfall in der Pergola. Nach einer Weile war er in
den Garten zurückgekehrt, mit einer zusätzlichen
Decke, einer Wasserflasche, Weißbrot und Oliven.
Die Frau fand er so eingewickelt in ihren Teppich
vor, wie sie vor seiner Haustür gelegen hatte. Er
glaubte, ihre pfeifenden Atemzüge zu hören, breitete die Decke über ihre Füße und stellte Brot und Oliven auf einen umgestülpten Ölkanister. Tagsüber sah
er vom Haus aus oft zur Pergola hinüber, nichts
rührte sich, die Frau mußte in einen Tiefschlaf gefallen sein. In der mondhellen Nacht darauf erwachte
er an entsetzlichen, gurgelnden Schreien. Als er sich
vergewissert hatte, woher sie kamen, trat er ans Fenster. Ein sanft erleuchtetes, gestrandetes Schiff stand

die verglaste Pergola am Ende des Gartens in der Nacht. Scharf wie ein Scherenschnitt zeichnete sich darin die Gestalt der Frau ab, die wild um sich schlug, mit krampfartig zuckenden Bewegungen, ohne innezuhalten. Ihre Schreie gellten unvermindert durch die Stille. Niemand sonst war im Garten, es wäre dem Wirt nicht entgangen, selbst die kleinsten Sträucher warfen Schatten. Für einen Augenblick erfaßte ihn eine Lähmung vor der Fremdheit des Geschehens. Als er endlich angekleidet hinausging und sich der Pergola näherte, entdeckte er von der Frau keine Spur mehr. Sie war samt ihrem Teppich verschwunden. Oliven, Brot, auch die Wasserflasche standen unangerührt auf dem Ölkanister.

Was nur hatte die Frau an diesem geschützten Ort derart in Schrecken versetzt? Wie hing doch seine Mutter an der verglasten Pergola! Die Dächer der Oberstadt, die sich Stufe um Stufe hinabziehen, bilden im Sonnenlicht ein gleißendes Gebirge aus verschiedenen Ziegelablagerungen, da sind die alten gewölbten Ziegel, neuere schmale mit zwei Rillen oder die seit kurzem verwendeten breiten und schwerfälligen, dazwischen blitzen Einschlüsse von Eternit, Wellblech. Frei schweift der Blick bis in die Unterstadt zum Teatro Garibaldi mit seiner zierlichen Balustrade auf dem Dach, gekrönt von einer opulenten Uhr, die stets dieselbe Zeit anzeigt. Das Teatro Garibaldi, immer baufälliger, schloß und öffnete und schloß wieder, komische und sentimentale Opern wurden aufgeführt, von denen seine Mutter nie eine gesehen hatte, aber die Uhrzeit hoch über der verblaßten gelben Fassade blieb unverrückt und tröstlich dieselbe. Am liebsten hielt sie sich in der Abenddämmerung im Garten auf, wenn aus den geöffneten Fenstern der kleinen Fabriken in der Unterstadt, je nach Wind, in Wellen der Kakaogeruch heraufströmte, der Duft der Schokolade von Modica, pechschwarz und staubtrocken, beim Zerbrechen zerfällt sie in Krümel, und bewahrt man die dicken Tafeln zu lange auf, werden sie an der Oberfläche ganz grau. Der Wirt hatte sich manchmal gewundert, daß seine Mutter in heißen Sommernächten so sorglos in der Pergola schlief, aber der Feigenkaktus bewacht mich doch, rief sie einmal lachend aus, da kann mir nichts passieren!

Die Mutter war gestorben, aber der Feigenkaktus, inzwischen zu einer undurchdringlichen Hecke angewachsen, schirmte immer noch die Pergola vom Nachbarsgrundstück ab. Der Wirt, dem vom hastigen Aufstehen etwas schwindlig war, ließ sich auf der Liege nieder, wo vorher die Frau geschlafen hatte, und schaute in die helle Nacht hinaus. Jetzt, so ausgestreckt, fiel ihm auf, wie nah sich der Feigenkaktus an die Scheiben herandrängte. Im fahlen Gegenlicht des Mondes erhoben sich unübersehbar hintereinander die riesigen fleischigen Tatzenhände des Kaktus, zum Festkrallen bereite Finger saßen die Blütenstände auf ihren Rändern, ein unaufhaltsam wachsendes Heer wütend emporgereckter Hände, gleich würde die Meute gierig in die Pergola einfallen. Den Wirt beschlich eine dunkle Ahnung, und in einem Gefühl der Bitterkeit darüber, daß der Zufluchtsort seiner Mutter ein Albtraum geworden war, mußte er eingeschlafen sein. Als er erwachte, glitzerten an den Stacheln der Kaktushände die letzten Tautropfen. Er stand auf und strich die zerwühlte Decke glatt, da erst sah er die Lache eingetrockneten frischen Bluts.

8

Über mir nichts als der Freskenhimmel. Obwohl er in diese Medaillons eingefaßt ist, die das zentrale Bild der Festsaaldecke umkränzen, ist es doch überall derselbe Himmel, der durch alle Medaillons in ihren Stuckrahmen fließt, ein Himmel von einem lichten Blau, der die gemalten Felder in einem Universum ohne Anfang und Ende miteinander verbindet. Hatte ich geglaubt, im Mittelbild eine frontal sitzende Figur zu erkennen? Merkwürdig, daß jetzt in der ersten Dämmerung diese Szene am verschwommensten wirkt. Es handelt sich wohl nur um einen Baum, allerdings mit einer gewaltigen ausladenden Krone, vielleicht eine alte Eiche. Mit erstaunlicher Deutlichkeit aber kann ich in den Medaillons Einzelheiten feststellen, da einen Elefantenrüssel, dort ein Hirschgeweih, mächtige Steinbockhörner, einen Giraffenhals. Ich richte mich auf dem Ellbogen etwas auf und drehe mich nach der hinteren Saalwand um. In der Konservenbüchse, zuoberst auf der Leiter, stecken tatsächlich Pinsel. Dünne weiße Gummihandschuhe hängen wie zwei schlaffe Häute von einer unteren Stufe herab, daneben baumelt eine Vergrößerungsbrille. Daß Serafina und ich nie geahnt haben, wovon der Wirt sprach, wenn er die herausfordernde Technik der Freskomalerei erwähnte! Das Fresko erlaubt keine Kompromisse, sagte er, entweder man kann es, oder man kann es nicht. Jede Unfähigkeit kommt früher oder später schonungslos ans Licht. Serafina und ich bezogen immer alles auf seine Arbeiten in Sizilien. Die dunkel glänzenden Blätter einer Steineiche, das gespitzte Ohr eines Leoparden, wo anders sonst sollte solches gemalt sein als in Enna oder Modica?

Nochmals widerstehe ich dem Gedanken, aufzustehen und einen Blick hinaus in den Garten auf die schlafenden Häßlichen zu werfen. Ich wickle mich wieder fest in mein Hasenfell ein. Welch seltsame Totenwache verbringe ich hier! Das Kind ist im Nachtzug unterwegs aus der fernen Großstadt, und Orion liegt ganz nah in der verriegelten Totenkapelle. Ich schaue wieder zu der Decke auf, wo das Himmelsblau vorherrschend durch alle Medaillons strömt.

Wäre doch in jedem ein Schmerzenszustand eingefaßt, den ich durchlebte bis auf den Grund. Doch dann
habe ich die Verstrickungen durchschnitten und die
Unerbittlichkeit des Abschieds auf mich genommen.
Wie schrecklich glänzt die Leventina in der Tiefe!
Stürmisch weht der Nordwind, im scharfen Licht versinken die Bergfalten im Schatten. Muß ich so das
Grenzland verlassen, vor langem auserwählt, mit dem
freudigen Willen zu bleiben? Aber ich darf mich beim
Überqueren des Passes nicht umsehen, als verlöre ich
sonst das Kind hinter mir im Wagen. Nur seine Augen suche ich, wieder und wieder im Rückspiegel,
nichts tut so gut, und nichts tut so weh wie die Liebe.
Niemand außer uns ist so spät unterwegs. Im Abend-
licht liegt über dem herben Braun und Grün der Paß-
landschaft ein verhaltener Samtglanz. Von der Nord-
rampe her kommt uns die Dämmerung entgegen. Ich
konnte dem Kind die verstörende Erfahrung nicht
ersparen, daß zur Rettung der harte feste Zugriff gehört. Doch je länger wir in die Dunkelheit hineinfah-
ren, spürt es nicht auch, von weit her, den Wind einer
kommenden Frühe?

Welche Szenen, welche Gedanken werden nun das
Kind bestürmen, im Zug, der durch die Nacht rollt.
Wäre es schon bei mir! Vielleicht schläft es, erschöpft
vom Traurigsein, oder wacht auf an der pochenden
Unruhe, nach so vielen Jahren den Ort wiederzuse-
hen, den wir einmal in bitterer Hast verließen. Und

doch sagte es am Ende des Telefonanrufs, leise und bestimmt, mit jener unbegreiflichen Kraft des Tröstens, die es von klein auf besaß, jetzt wächst alles wieder zusammen. Ich liege auf dem bloßen Parkett, eng eingewickelt in mein Tierfell, wie Orion in seinem Hochzeitsanzug im Sarg, beide in derselben Richtung, denke ich auf einmal, mit dem Gesicht zum Berg über dem Dorf, gegen Osten gewandt. Es ist, als würden sich an der Decke die Lebewesen in den Stuckmedaillons zu regen beginnen. Vögel schweben im Sinkflug. Und besänftigt nebeneinander, als wären sie durch einen Zauber gebannt, lagern Leoparden und Gazellen, Eidechsen und Hirsche, Giraffen und Schlangen. Tiere aus allen Erdteilen scheinen um das Mittelbild gruppiert zu sein. Ist es eine Darstellung des Paradieses?

9

Der unfaßbare Frieden in den Stuckmedaillons, durchtränkt von Himmelsblau, senkt sich auch in mich hinein. Vom vielen Weinen, Jahre zurück, bin ich ganz leer geworden. Nur dieses noch fremde, doch durch nichts mehr zu zerstörende Gefühl der Dankbarkeit, das mich vor der verriegelten Totenkapelle aufwühlte, erwacht von neuem in mir. Angesichts des Todes, werden da nicht alle Verluste aufgewogen? Und daß ich wie einst in der Villa am

Waldrand die Nacht zubringe, wenn auch auf dem bloßen Parkett und in ein Hasenfell gewickelt, und das Kind heimkehrt in sein Herkunftsland: Es ist Orions Werk. Wir werden wieder über den ovalen Platz unter den Bäumen laufen, zwischen den sich gegeneinander neigenden Hausmauern der schmalen Gassen einen Spalt des Nachthimmels erspähen, auf das Rauschen des Wasserfalls hinter dem Dorf horchen. Auf Allerheiligen hin wird ein Grablicht mehr auf dem Friedhof brennen, jenes für Orion, zu Füßen der Urnenwand. Schon früher war uns oft, wenn wir an einem Spätherbstabend aus dem Postauto stiegen und auf dem Friedhof, so klein er auch ist, ein Meer von roten Lichtern flackerte, als wäre hier das lebendige Dorf versammelt. Zwischen Grabplatten, Moos und Efeu, im unruhig züngelnden Lichtglanz, besprachen sich die aufgewachten Toten, verhandelten die Ereignisse des Tages, rückten noch enger zusammen. Würden wir nicht mehr Aufschluß über alles und sicheren Rückhalt finden, wenn wir bei ihnen blieben? Dann standen wir, als das Postauto längst verschwunden war, immer noch zögernd auf dem ovalen Platz, bis wir uns auf die andere Seite schlugen, dem dunklen Dorf zu, mit seinen erloschenen Fenstern, hinter denen das Leben starb.

Orion lebte vielleicht schon lange in der Zeit der Toten, einer wirklicheren Zeit, der Sternenzeit. Serafina hatte beobachtet, wie Orion häufig, wenn der

Pfarrer mit seinem leichten Zug ins Enthusiastische über den Platz unter den Bäumen eilte, sich diesem in den Weg stellte und ihn nach der Uhrzeit fragte. Der Pfarrer hatte es offenbar bald aufgegeben, auf die Kirchturmuhr hinzuweisen, Orion hatte ihm bestimmt klargemacht, daß er von einer Kirchturmzeit wenig hielt und eine umfassendere Auskunft wünschte. Serafina bemerkte mit heimlichem Vergnügen von ihrer Bank unter den Roßkastanien aus, wie Orion den Pfarrer fast täglich vor dieses Uhrengericht stellte und dieser, wenn auch zunehmend verunsichert, geduldig den Ärmel hinter seine Armbanduhr zurückschob, während Serafina glaubte, in der Haltung, wie sich Orion über den Arm des Pfarrers beugte, eine kleine maliziöse Boshaftigkeit zu entdecken.

Wenn Serafina unter den Roßkastanien saß, wurde sie vom Pfarrer stets respektvoll begrüßt, obwohl er sie nie in der Messe sah. Offensichtlich vergaß er nicht, daß Serafina bei seinem Amtsantritt in unserem Dorf eine wohlgesetzte Willkommensrede gehalten hatte. Nicht im Traum fällt es mir ein, da vorne in der Kirche zu stehen! hatte sie zwar zuerst geradezu aufgebracht ausgerufen, aber alle bestürmten sie und erinnerten sie daran, wie ihre Rede zum Jubiläum in der Hemdenfabrik damals in der ganzen Gegend gerühmt worden war. Schließlich ergab sie sich. Sie zog ihren schwarzen Tailleur an, steckte mit dem Kamm, auf dem die zwei künstlichen Perlen schimmerten, ihr unbändiges Haar hoch und sah sich am Sonntagmorgen vor einem fast leeren Kirchenschiff. Nur in den hintersten Bänken auf der rechten Seite hatten sich ein paar der ältesten Dorfbewohner zusammengedrängt, und in der vordersten Reihe kniete eines der Schulkinder, das Mädchen des portugiesischen Kochs. Auf der linken Seite war niemand. Der Pfarrer erschien in vollem Ornat und ließ sich nichts anmerken. Er beugte sich im Gegenteil erfreut über die Präsenz der Jugend zu dem Mädchen nieder und wollte ihm die Opferbüchse anvertrauen. Es erschien ihm wohl prädestiniert dazu, man sah ihm die Klugheit an, und mit seiner feinen Brille, dem präzis gescheitelten dünnen Haar wirkte es wie eine kleine Pfarrköchin. Zur Verwunderung aller weigerte es sich heftig und schüttelte so standhaft verneinend den Kopf, daß ihm die Brille herunterfiel. Nun doch etwas verblüfft über so viel unerwartete Renitenz, wandte sich der Pfarrer verlegen an Serafina. Sie nahm die Opferbüchse gelassen an sich, stellte sie auf die nächste Sitzbank und begann ihre Begrüßungsrede. Als sie geendet hatte, blieb sie aus einem plötzlichen Impuls heraus auf der linken Seite des Kirchenschiffs stehen, da sie dem Pfarrer den Anblick der unbesetzten Bankreihen nicht zumuten wollte. Dieser ergriff nun seinerseits auf der rechten Seite das Wort, und da er in wachsender Begeisterung immer weiter ausholte, hatte Serafina Zeit, sich in die Gesichter der wenigen Anwesenden zu vertiefen.

Das portugiesische Mädchen hatte unterdessen seine Brille unter der Kniebank hervorgefischt und wieder aufgesetzt. Als wäre nichts vorgefallen, hörte es mit dem Ausdruck einer Sphinx der Redegewalt des Pfarrers zu.

Ich habe mich in den Gesichtern der Zuhörer vollkommen verloren, erzählte mir Serafina später, in diesen Gesichtern unserer Dorfbewohner, von denen ich weiß, daß sie ihre Sorgen und ihre Freuden, ihre Tränen und ihren Glauben so viel lieber in eine einsame zerfallene Kapelle tragen als in die Kirche. Unverhofft auftauchend in der Abgeschiedenheit eines Waldes oder am Rand einer Schlucht, wie lösen sich in den mit verblichenen Farben ausgeschmückten Kapellen auf einmal bitterer Groll, nagender Haß, unterdrückte Schmerzen. Manchmal mahnen die Orte an überstandene Gefahr, einen Unglücksfall und wundersame Rettung. Doch oft sind es einfach nur heitere Szenen himmlischer Feste, den Pinseln von Wandermalern entsprungen, kleine Theater, in denen auch die menschlichen Dramen geborgen sind. Und ich mußte an die Schutzengelkapelle meines ersten Kusses denken, sagte Serafina, an die rotglühenden Wolken im tiefen Himmelsblau über mir, die Blumengirlanden und üppigen Früchte und die überirdische Glückseligkeit, und ich merkte überhaupt nicht, daß der Pfarrer mit seiner Antrittsrede fertig war und ich immer noch vorn im Kirchenschiff stand, bis mich ein auffälliges Räuspern, schließlich ein künstlicher Hustenanfall des portugiesischen Mädchens aus meiner Versunkenheit riß.

Hätte Orion noch einmal den Frühling gesehen! Den Frühling, der in diesen südlichen Bergtälern aufersteht wie ein unsterblicher Rausch. Die unterschiedlichsten Grüntöne flammen in den waldreichen Abhängen, das zarte Weiß der wilden Kirschblüten sind die Reste eines zerrissenen Brautschleiers, die Robinien schäumen bis zu den Dorfeingängen hinab. Oder wäre Orion zur Brutzeit der Schwalben gestorben, dann wäre er jetzt in der Totenkapelle nicht allein. In einer Ecke der gewölbten Decke klebt immer ein Schwalbennest. Einmal waren das Kind und ich gegen Abend auf dem Friedhof dem hellen, durch den Innenraum schrill verstärkten Zwitschern aus der offenen Totenkapelle gefolgt und hatten dabei die Schwalbenmutter bei der Fütterung gestört. Wir sahen gerade noch einen schwarzblauen Schatten über unseren Köpfen hinwegfliegen. Sie mußte sich aber nicht weit entfernt haben, denn sie gab in regelmäßigen Abständen Signale von sich, welche von den Kleinen zaghaft beantwortet wurden. Geräuschlos verließen wir die Totenkapelle und versteckten uns hinter einer Grabplatte, bis durchdringendes Zwitschern die Wiederkehr der Schwalbenmutter verriet. Auch Serafina schaute gern, wenn sie auf ihrer Bank unter den Roßkastanien saß, dem geschäftigen Treiben der Schwalben zu. Eines Tages Anfang Mai erregte eine Schwalbe, die mit außergewöhnlicher Entschiedenheit zwischen der Totenkapelle und der Kirche hin und her schoß, ihre besondere Aufmerksamkeit. Zuerst vermutete Serafina, sie würde auf den Vorsprüngen der Fassade etwas Zuträgliches für ihren Nestbau finden, dann aber dauerte ihr der Aufenthalt dort doch etwas lang. Sie ging auf das Kirchenportal zu, das der Pfarrer, der aus dem Süden Italiens kam und in der noch winterkalten Kirche stets fröstelte, weit geöffnet hatte, als ihr die Schwalbe mit einer anmutigen Kurve aus dem Innern entgegenflog. Serafina legte erstaunt den Kopf zurück, die Bauchseite des Vogels glänzte auf, doch hingen seine Schwanzfedern schlaff herab, oder trug er da etwas Schwarzes, Strähniges in seinem Schnabel fort? Serafina setzte sich kurzerhand in den Beichtstuhl und wartete dort auf die Rückkehr der Schwalbe. Seit langem hatte Serafina das Kircheninnere nicht mehr betreten, und als sie die aus einem viel früheren Jahrhundert stammende Madonnenstatue betrachtete, die nur für den Maimonat aus der düsteren Sakristei hervorgeholt, auf einen Sockel gestellt und mit den ersten blühenden Holunderzweigen geschmückt wurde, empfand sie so etwas wie eine Verwandtschaft mit ihr. Der türkisfarbene Damast des Kleides war verblaßt und brüchig geworden, aber das Haar der Madonna, von dem im Dorf behauptet wurde, es handle sich um echtes Frauenhaar, war immer noch

von tiefem Schwarz. Jetzt waren rasche Flügelschlä-
ge hörbar, die Schwalbe flog pfeilschnell auf die
Madonnenstatue zu, rupfte und zupfte an dem
schwarzen Haar, bis sie ein ganzes Büschel davon
im Schnabel hatte, und flatterte hinaus ins Freie damit. Serafina trat eilig aus dem Beichtstuhl, eben
noch ertappte sie die Schwalbe, wie sie mit ihrer Beute
in der offenen Totenkapelle verschwand. Ohne Zweifel benützte sie das Madonnenhaar für ihren Nestbau. Serafina wandte sich nochmals nach der Madonna um, deren Haare nun wirklich sehr in Unordnung
geraten und verdächtig gelichtet waren, nie war sie
ihr näher gewesen als in diesem Augenblick. So deutlich aber blieb Serafina dieser Maitag im Gedächtnis,
weil am selben Abend der Wirt berichtete, daß vor
der Insel Lesbos ein Boot mit Flüchtlingen gesunken
sei, das nur entdeckt wurde, weil eine schwarze Frau-
enperücke auf den Wellen trieb.

10

Ich habe jedes Zeitgefühl verloren. Liege ich schon
nächtelang hier? Vielleicht hat Orion mich mitgenommen auf seine Reise über den Totenfluß. Schwei-
gende Reise! So manches, glaubte ich, hätte ich von
Orion noch erfahren wollen, aber jetzt ist er in einen
Zustand großer Stille eingetreten, vor dem meine
Fragen, eine nach der anderen, wie verlöschende

Kerzen verstummen. Nur fern irrlichtert noch ein Glühen und Flackern zwischen schwarzen Wasserschnellen, sinkt da eines von Orions brennenden Modellen? Doch der Flammenschein kommt aus dem Dorf an der Flanke des Berges, von einem Scheiterhaufen, der nie gebrannt hat. Hoch aufgetürmt liegen an der Ausfallstraße in die Ebene hinunter, für alle gut sichtbar, die verschiedensten Kartons, Umzugsschachteln, noch ungefüllt, teilweise eingerissen, ein wild zusammengescharrter Wust, mit Füßen getreten. Am Eingang des Dorfes stehen Serafina und der Wirt. Sie beschwören mich und das Kind, sofort wieder in den Wagen zu steigen und weiterzufahren. Nordwärts! Und das Einpacken, das Aufräumen, der Abschied? frage ich fassungslos. Es gibt keine einzige Umzugsschachtel mehr vor der Wohnungstür, sagt Serafina, und Orion schläft wie ein Toter. In seinen Träumen wird der Scheiterhaufen schon bis zum Himmel lodern, sagt der Wirt, es ist uns ein Rätsel, woher er die Kraft nahm, alles im Dunkel der Nacht hinab an den Straßenrand zu tragen. Das Kind schlingt wortlos die Arme um Serafina. Noch einmal hebt sie es hoch auf in die Luft und lacht unter Tränen. Gehen Sie! drängt der Wirt, es wird sonst spät für die Paßüberfahrt. Wir werden uns um das Einpacken kümmern.

Ein einziges Mal, bevor ich mich auf die Kurven in die Ebene hinunter konzentrieren muß, schaue ich zurück. Serafina und der Wirt stehen immer noch am Eingang des Dorfes. Sind sie meine Hadeswächter? Serafina hebt nicht einmal den Arm, um zu winken, als wolle sie nicht auch nur mit der geringsten Bewegung unsere Entfernung beschleunigen, oder als wäre ihr unverrücktes Dortstehen ein Versprechen, unsere zurückgebliebenen Spuren des Glücks zu schützen. Der Wirt hat nicht umsonst zum Aufbruch gedrängt. Als wir endlich nach langer Fahrt zur Gotthard Paßhöhe hinaufsehen, leuchtet sie im Abendglanz in ungeheurer Einsamkeit. Ich muß mich zwingen, nicht nach der Totenkapelle auf den letzten Serpentinen der tieferliegenden Tremola Ausschau zu halten, wo in den früheren Jahrhunderten die in den Winterstürmen umgekommenen Reisenden eingelagert wurden. Erstarrt, halb zugeweht vom Schnee, hatte man sie am Paßweg gefunden. Niemand konnte in der steinharten Erde bestattet werden, man legte sie schichtweise in der Totenkapelle aufeinander, Landstreicher, Begüterte, Deserteure. Vielleicht gab es eine Falltür, und beim ersten Tauwetter warf man die Armen unter den Erfrorenen in eine Grube, bei den sichtlich Reichen wartete man etwas zu, es mochte sich womöglich noch jemand melden. Nilpferde! ruft das Kind plötzlich, schlafende Nilpferde! Aufgeregt zeigt es in die dämmernde Landschaft der Paßhöhe hinaus. Da liegen sie wirklich, in Gruppen beieinander, die runden Höcker des von den einstigen Gletschern glattgeschliffenen Gesteins, Rükken an Rücken, uralte Begleiter auf der Straße der Völker. Nilpferde! tatsächlich, sage ich und wende mich nach dem Kind um, sie haben hier seit einer Ewigkeit auf uns gewartet. Das Kind rümpft die Nase, in seinen Augenwinkeln erwacht der Schalk. Wird es vom unwiderstehlichen Geruch des Unbekannten erfaßt? Die Reuß tost in der Tiefe, wir fahren wortlos die Schöllenen hinunter, ich werfe dem Kind im Rückspiegel kurz einen Blick zu, alles verlieren, um alles zu wagen.

Es dunkelt. Die schroffen Felswände gehen ohne Begrenzung in den schwarzen Himmel über. Wir fahren weiter gegen Norden, halten nie an, das Kind ist eingeschlafen, ich will diesen barmherzigsten Gast auf unserer Reise, den Schlaf, nicht vertreiben. Doch was werden wir in der fernen Stadt gegen das Heimweh unter das Kopfkissen legen? Ich habe kein Restchen jenes weißen Brots mehr, das sich in meiner Kindheit am Agathatag in den Bäckereien türmte, die weichen duftenden Agatharinglein, die von der fasnächtlich maskierten Feuerwehr zu Ehren ihrer Patronin oft durch das dichteste Schneegestöber geschleudert wurden. Ein Stück davon, in einem weißen Taschentuch unter dem Kopfkissen aufbewahrt, schützte in der Fremde vor der stechenden Sehnsucht. Plötzlich steht wieder jener Gewitterabend vor meinen Augen, als ich etwas Verschwiegenes von Serafina entdeckte. Wie aus dem Nichts war das Gewitter losgebrochen, obwohl der Berg schon den ganzen Nachmittag über in Düsternis getaucht gewesen war. Donnerschlag folgte auf Donnerschlag, mit einer Wucht und einem vervielfachten krachenden Echo, wie wir es später in der Stadt nie mehr erleben würden. Serafina, der Wirt und ich saßen im Gartensaal, der pausenlos von Blitzen grell erleuchtet wurde. Ebenso unvermittelt wie der erste Donner schwoll im Garten jäh ein Rauschen an, eine Hagelflut prasselte nieder, einzelne Körner schlugen mit einem harten trockenen Knall in der Loggia auf. Mein Fenster ist offen! rief Serafina und blieb versteinert sitzen. Ich sprang hoch und eilte ihr voraus ins sogenannte Studierzimmer, in dem Serafina immer öfters schlief, wenn es spät wurde und sie wegen ihrer Arthrose den Gang ins Dorf hinunter scheute. Ihr Bett stand nah beim weit offenen Fenster, das Kopfkissen war weiß von Hagelkörnern. Geschwind packte ich es und schüttelte die Eisgeschosse in den Garten hinaus. Mit Anstrengung schloß ich in dem Unwetter das alte Fenster und wandte mich um. Serafina stand auf der Schwelle. Das Kopfkissen noch in der Hand, folgte ich unwillkürlich ihrem Blick, der auf das Bett gerichtet war. An seinem Kopfende lag etwas Flachgedrücktes von mattgelblicher Farbe auf dem Leintuch. Es konnte sich kaum um ein Stück Agathabrot handeln! Ohne mich vom Fenster wegzurühren, versuchte ich, das merkwürdige Gebilde zu erkennen. Brot war es gewiß nicht, es schien etwas Wachsartiges zu sein, aneinandergereihte Spiralen, mit hauchfeinen abbröckelnden Goldverzierungen. Serafina deckte es mit dem Oberleintuch zu. Dann richtete sie sich auf und sah mich an. Es ist meine kleine brennende Alma, sagte sie.

Im Garten verrauschte das Trommeln des Hagels, um irgendwo in der Entfernung wieder zuzunehmen. Kein einziger Vogel zwitscherte. Der Wirt mußte in den Festsaal gegangen sein, wir hörten die Flügeltür sich öffnen und schließen. Ich wagte nicht, in den vom Hagel zerfetzten Garten hinauszuschauen, und lehnte immer noch mit dem Rücken am Fenster. Serafina hatte sich, erschöpft oder abwesend, aufs Bett gesetzt. Das klare Profil ihres Gesichts hob sich hell von den dunklen Lederrücken der Bücher ab, die auf wurmstichigen Regalen bis zur Decke reichten. Es war, als hätte das Studierzimmer seit jeher zu Serafina gehört. Man betrat es über eine Stufe, wodurch es, wie ein Alkoven, etwas höher lag. Konnte wirklich nur eine Stufe bewirken, daß sie sich dort, wie sie einmal sagte, vollkommen unerreichbar fühlte? Zugleich liebte sie es, gegen Abend da auszuruhen und sich die Titel der stockfleckigen Bücher zu merken, wobei sie einen Fensterflügel offenließ und so richtete, daß sich darin der Eingang zur Gartenloggia spiegelte und sie je nachdem, welche Gäste sich noch spät einstellten, zurück zur Bedienung in die Wirtschaft ging. Die Mutter, sagte Serafina auf einmal, die doch selbst litt unter dem Verlust des Kindes, konnte nicht mehr mitansehen, wie ich verzweifelt war über den Tod der kleinen Alma. Da ich auch kaum mehr aß, wollte sie mich zu unserem Talarzt schicken, aber du weißt ja, fuhr Serafina plötzlich lebhafter fort, wie das hier bei einem Arztbesuch ist! Man kommt in das Wartzimmer, das schon voll besetzt ist, die alten Frauen manchmal noch in Hausschürze und Pantoffeln, und die Männer ziehen dauernd ihre riesigen Stofftaschentücher hervor, mit denen sie herumwedeln beim Hineinspucken ihres Tabakschleims, alle breiten angeregt ihre Krankheitsgeschichten aus, von vorn nach hinten und von hinten nach vorn, bis das Stimmengeschwirr übertönt wird von eindringlichen Fragen und Antworten aus dem geschlossenen Arztzimmer. Ein schwerhöriger Patient ist an der Reihe, alle im Wartzimmer verstummen und nehmen teil an dem Verhör wie beim Jüngsten Gericht. Was war nun peinvoller, wie früher wartend vor dem Beichtstuhl die zu laut geflüsterten Schandtaten des Dorfes mitzubekommen, oder hier bis ins kleinste Detail über Verdauungsstörungen, Herzrasen, Wadenkrämpfe, Nachtschweiß eines Nachbarn unterrichtet zu werden? Serafina war aufgestanden. Ich habe mich geweigert, zum Talarzt zu gehen, sagte sie. Ein Sonnenstrahl fiel, wie oft nach den zerstörerischsten Gewittern, still und glanzvoll in das Studierzimmer und tauchte Serafina in seinen letzten Schein. Schließlich schenkte mir die

Mutter diese Kerze, sagte sie, eine siebenspiralige Kerze, welche die Mütter einst für ihre totgeborenen Kinder anzündeten, sieben Tage lang während der Messe je eine Wachsspirale, dann wurde die kleine ungetaufte Seele doch noch ins Paradies aufgenommen, tu es um deinetwillen und für Alma, sagte die Mutter, so wirst du Frieden finden. Serafina trat zu mir und öffnete das Fenster, die geschmolzenen Hagelkörner tropften ins Zimmer herein. Du hast die Kerze nie angezündet, sagte ich zu ihr. Serafina beugte sich weit in den Garten hinaus, diesen September werden wir keine Feigen essen!

11

Jetzt habe ich etwas gehört. Es sind Schritte! In der Loggia werden Rattansessel verschoben. Mir ist, ein Zitronenbäumchen im Topf sei umgeworfen worden. Warum dringen keine Stimmen zu mir? Aber es beunruhigt mich nicht, kein Angstgefühl mehr, vielleicht könnte ich ebensogut unter den Häßlichen in der Gartenloggia schlafen wie hier oben, eingewickelt in mein Tierfell, im Festsaal. Für ein paar Augenblicke versuche ich mir zu vergegenwärtigen, wie groß jeweils die Anzahl der Reispackungen war, die Serafina in der Vorratskammer stets zur Verfügung haben wollte. Auch Zwiebeln, Safran, Weißwein fehlten nie. Ich werde am Morgen Risotto kochen, bis alle Maskierten satt sind. Doch warum nicht schon damit anfangen? Es ist nicht Schlafbenommenheit, die mich abhält, auch die Furcht hat mich verlassen. Etwas anderes, ein gebieterisches Bild der Ruhe, steigt aus der Vergangenheit empor und weist mir meinen Platz zu. Ich liege wieder in dem Bauernhaus tief im Westen Japans, unter dem überhängenden Dach aus schwarzglasierten Ziegeln. Man hat mir den Hauptraum überlassen zum Schlafen, den während des Tages nun niemand mehr betritt. Doch gegen Ende jeder Nacht weckt mich ein fast unhörbares Geräusch. Die Großmutter der Familie, klein und gebeugt vor Alter, nähert sich in bloßen Socken meiner Schlafstelle. Sie trägt mit beiden gichtigen Händen eine dunkle Schale, in der etwas gespenstisch weiß schimmert, zu einem niedrigen Berg geformt, von dem sichtbarer Dampf aufsteigt. Es muß frisch gekochter Reis sein. Ich verrate mit keiner Bewegung, daß ich wach bin. Die Großmutter verneigt sich vor mir, faltet die Hände, neigt von neuem den Kopf, dann geht sie zum Wandschrank und wiederholt dasselbe Verneigen und Händefalten. Hat sie mich mit dem Wandschrank verwechselt? Darauf höre ich ein Türchen knarren, nach kurzer Zeit ein zweites, endlich ein drittes. Die Großmutter macht sich im verborgensten Schrankinnern zu schaffen. Ohne Zweifel befindet sich dort der Hausaltar, sie legt welke Blumen auf ihren Arm. Nach einer stummen Zwiesprache mit den Ahnen verschließt sie wieder Türchen um Türchen. Ohne

Reisschale verläßt sie den Raum, nicht ohne sich nochmals vor mir, der scheinbar Schlafenden, verneigt zu haben. Die kleine gekrümmte Frau unter dem niederhängenden Dach mit den schwarzglasierten Ziegeln muß längst tot sein. Aber seither fülle ich, zwischen Schlafen und Wachen, die dunkle Schale der Erinnerung mit frischem Reis, hell leuchtendem Reis, Dankesgabe an die Verstorbenen und Zukunftsspeise für alles Kommende.

12

Der Wirt wird bald zurückkommen, die unverschlossene Tür des Gartensaals bestärkt mich in dieser Gewißheit. Auch wurden in letzter Zeit seine Aufenthalte in Sizilien kürzer, als hätte er hier ebenso dringende Geschäfte wie dort. Und wenn die Hässlichen die Villa besetzen und es wie beim Mitternachtsmahl im Tal jenseits der Grenze verkleidete Flüchtlinge sind? Serafina wird die Situation entschärfen! Noch bevor ich sie anrufen kann, findet sie mich. Je angespannter oft eine Stimmung in der Wirtschaft war, desto unerschrockener trat Serafina auf. Es war nicht Selbstbewußtsein, was sie ausstrahlte, es war Freiheit. Auch während des Gastmahls in der Dreikönigsnacht, so hatte es mir Serafina selbst am Telefon berichtet, als alle nur noch auf das verhalten gierige Essen der Häßlichen starrten, die sich in so befremdend großer Anzahl um den Tisch drängten, hatte sie die beklommene Stille nicht länger ertragen. Serafina stand auf, ergriff eines der halbvollen Schnapsgläser, streckte es hoch in die Luft und rief: Je später der Abend, desto schöner die Gäste! Das war mit Blick auf die abgerissenen Gestalten nicht ohne Komik. Einige im Saal lachten laut auf, das Schweigen war gebrochen, und man rückte am Tisch nun doch etwas enger zusammen.

Einmal, als ich noch nicht aus dem Dorf fortgezogen war, kam der Wirt in gedrückter Stimmung aus Modica zurück. Es war während eines jener endlosen Juniregen, da die Welt nach und nach in Wasserdunst und Nebel versinkt. Das stetige Rauschen des Regens schwoll an, verebbte, kehrte wieder. Niemand suchte die Wirtschaft auf. Serafina und ich saßen im Gartensaal, in dünnen Rinnsalen sickerte Wasser durch die undichten Fenster auf den Steinfußboden hinunter. Der Nebel verschluckte den ganzen Garten. Wohin war das Lodern der Ginsterbüsche verschwunden? Nur da und dort, wenn ein Nebelvorhang sich bewegte, glomm kurz eine gelbe Blüte auf, als zündete jemand ein Streichholz an. Serafina war gerade aufgestanden und verfolgte mit den Augen ein Wasserrinnsal, das über die Steinplatten des Gartensaals kroch, wie um es anzuhalten. Da verdunkelte ein Schatten die Loggia. Wenig später stand der Wirt triefendnaß vor uns. Ungestüm schleuderte er seine tropfende Jacke auf den Tisch und warf dabei eine Flasche Rotwein um. Mit einem harten Knall schlug sie auf dem Boden auf, gefolgt von einem gläsernen Klirren. Ein tiefroter Schwall ergoß sich über die Steinplatten und vermischte sich mit den Regenrinnsalen. Der Wirt starrte gelähmt auf den Wein zu seinen Füßen. Serafina nahm die tropfnasse Jacke an sich und sagte zum Wirt, wenigstens schreit er nicht!

Ohne eine Lampe anzuzünden, blieben wir bis Mitternacht im Gartensaal sitzen. Die Tür zum Treppenhaus ließ ich angelehnt, das Himmelszimmer stand offen, so daß das Kind uns hören konnte. Nie schlief es ruhiger ein, als wenn das Auf- und Abwogen unserer Stimmen es dabei begleiteten. Der Anblick der zerbrochenen Weinflasche schien dem Wirt allmählich die Zunge zu lösen. Immer wieder verstricke ich mich in Mißverständnisse! rief er aus. Das Trommeln des Regens im Garten war leiser geworden. Der Wirt hatte in Modica nach zähen Verhandlungen mit der Stadtverwaltung erreicht, daß er im seit langem leerstehenden Nachbarhaus obdachlose Migranten unterbringen konnte. Nicht mehr als drei! hatte man ihm fast unter einem Schwur abgenommen. Sie würden für Räumungsarbeiten angestellt, und er wäre ihr Bürge. Er unterschrieb eine Vereinbarung für den Fall, daß doch plötzlich ein Erbe auftauchte, obwohl alle wußten, daß keiner mehr existierte, außer einem Auswanderer, der in Brasilien als verschollen galt. Der Wirt schlug auch gleich eine Beschäftigung vor. Ob denn niemand bemerkt habe, in welchem Zustand sich die Geleise bei der Bahnstation von Modica befänden? Der reinste Dschungel. Hüfthohe Gräser, Binsen, Hundskamillen, Disteln! Seine Mutter, die als junge Frau am Bahnhof von Modica Klosettpapier abzählte, würde sich im Grab umdrehen, wenn sie die überwucherten Geleise sähe. Und durch die Wildnis begünstigt, würden nun auch hier ausgesetzte Hunde am hellichten Tag herumstreunen, man glaube sich nicht mehr in Modica, sondern an einem verlassenen Bahnhof irgendwo im tiefsten Innern Siziliens! Etwas unwirsch erklärte man sich auf der Stadtverwaltung einverstanden. Nach ein paar Tagen fuhr der Wirt nach Siracusa.

Bei seinen Einkäufen auf dem Markt dort war ihm eine Gruppe Jugendlicher aufgefallen, die sich stets in der Nähe der Fischstände herumtrieb. Die wimmelnde glitschige Masse der ausgelegten Fische, der penetrante Meeresgeruch schienen sie unwiderstehlich anzuziehen. Nicht einmal der beleibte Händler, der oft vor aller Augen einen frischen Schwertfisch zerhackte und in seinen Gummistiefeln im Blut herumwatete, wobei er in regelmäßigen Abständen aus tiefer Kehle kommende, markerschütternde Schreie ausstieß, um Käufer anzulocken, schreckte sie ab.

Ebenso häufig traf der Wirt die Jugendlichen in einem weißgekachelten Lokal an, wo über den nassen schimmernden Fischleichen das Bild eines riesenhaften Poseidons hing, der bis zur Brust aus dem tobenden Meer herausragte und zornig seinen Dreizack gegen eine Küste schwang, die schon in Brand stand. Hinter den toten Fischen, die mit gebrochenem Auge zur Decke starrten, saß stets einsam ein rotlockiger Junge mit seiner Gitarre. Versunken zupfte er unter dem wütenden Poseidon an den Saiten, undeutlich, manchmal eher murmelnd, sang er dazu eines der schwermütigen sizilianischen Lieder, vom Meer, von der Erde, als gäbe es seit Jahrtausenden nichts anderes. Um seine Fische, die in wildem Durcheinander die Auslage bedeckten, kümmerte er sich keineswegs, als würden diese von selbst ihre Bestimmung finden, was sich die Jugendlichen wahrscheinlich zunutze machten. In der Gruppe hielten sich drei junge Männer besonders aneinander, wobei der eine noch fast knabenhaft wirkte, sie suchten kaum verhohlen unentwegt nach etwas Essbarem, eine rohe Sardine verschmähten sie gewiß nicht. Der Zustand ihrer Kleider kam dem Wirt von Mal zu Mal schmutziger vor, ihre Haare waren verfilzt, sie hatten wohl keine offizielle Schlafstelle, da sie jeweils beim Auftauchen der Carabinieri mit ihren weißen Handschuhen in Blitzesschnelle vom Erdboden verschluckt waren.

In der Nähe des Schwertfischhändlers hielt der Wirt die drei Jugendlichen an. Er hatte mit Mißtrauen, Widerstreben gerechnet, erkannte auch sofort, daß er sich mit Worten nicht verständigen konnte. Mit übertriebener Gestik versuchte er klarzumachen, daß er ein Dach über dem Kopf, Arbeit und Essen für sie hätte. Schließlich folgten sie ihm zögernd, nicht ohne sich dabei ständig umzuschauen. Der Wirt war in einem kleinen klapperigen Lieferwagen gekommen, mit einer offenen Ladefläche, wo sich die jungen Männer hinhocken konnten. Es wurde eine lange Fahrt! Teils fuhr der Wirt der Küste entlang, dann wieder mußte er mit seinem alten Lieferwagen Nebenstraßen, hinein in die Hügellandschaft, benützen. Unter einer Pinie, am Rand eines schon völlig von der Sonne versengten Feldes, machten sie Halt, und der Wirt ließ eine Wasserflasche kreisen. Forschend blickte er in die Augen der drei jungen Männer. Ihm war, er entdecke durchaus einen Abglanz des Nachmittagslichts in ihnen, etwas von der gleißenden Stille, nur vom nahen und ferneren sägenden Lockruf der Zikaden erfüllt. Aber in das Staunen über den fremden Frieden drängte sich etwas anderes. Verschlossenheit, Ungeduld, Widerstand?

Endlich in Modica angekommen, führte er die jungen Männer unverzüglich in die ausgestorbene Oberstadt hinauf zu seinem Nachbarhaus. Sie mußten hungrig sein, er hatte im ersten Stock, wo sich immer noch ein paar Möbel befanden, für ein kleines Mahl gedeckt. Vor dem Haus blieben die drei wie angenagelt stehen und starrten auf die Eingangstür. Ich konnte sie nicht dazu bewegen, auch nur einen Schritt über die Schwelle zu tun! rief der Wirt aus, und etwas von der hilflosen Erregung jenes Augenblicks schwang in seiner Stimme mit. Da deutete der älteste der jungen Männer auf den weißen Anschlag mit dem in fettem Schwarz gedruckten Vermerk, daß das Haus zum Verkauf stünde, er schüttelte heftig den Kopf, hob abwehrend beide Hände hoch, und als der Wirt nicht begriff, tippte er mit einem Zeigefinger sichtlich furchtsam auf den Anschlag. Der Wirt wies nun seinerseits mit ausgestrecktem Arm auf die umliegenden Häuser der engen Gasse, wo an mehreren Türen dieselben Anschläge hingen, alles zum Vermieten, zum Verkaufen! beteuerte er, aber anstatt damit eine Beruhigung zu bewirken, zeichnete sich auf den Gesichtern der jungen Männer nun nahezu ein Grauen ab. Der älteste der drei stieß die andern mit einem lauten Ausruf an, und ohne den Wirt auch nur eines Blickes zu würdigen, nahmen alle Reißaus und eilten, ja rannten die Gasse hinab gegen die Unterstadt. Nur der jüngste blieb einmal kurz stehen und wandte den Kopf zum Wirt zurück, worauf der älteste ihn sofort weiterzerrte.

13

Und dann saß ich, fuhr der Wirt fort, allein an dem gedeckten Tisch im leeren Haus. Der Berg Safrannudeln blieb ungekocht, die gerösteten Pinienkerne und eingeweichten Sultaninen unangerührt, ebenso der wilde Fenchel aus dem Garten meiner Mutter. Ich hätte keinen Bissen hinuntergebracht. Warum hatte ich mich den Jugendlichen nicht erklären können? Serafina und ich schauten stumm auf den Wirt. Wir sahen ihn wohl beide vor unseren Augen in dem verlassenen Haus sitzen, an dem gedeckten Tisch mit den leeren Tellern. Und als ertrüge Serafina diesen inneren Anblick nicht länger, sprang sie auf und sagte mit Nachdruck, wir könnten es hier versuchen und die nie mehr benützten Gästekammern für Migranten herrichten! Der Wirt betrachtete sie, wie sie so dastand, voll plötzlicher Energie. Serafina, auch hier würden sie kaum leben wollen, entgegnete er. Warum sollten sie auch? Sie haben alles zurückgelassen, jetzt wollen sie alles gewinnen. Das war meine Täuschung, daß ihnen der Frieden von Modica etwas bedeuten könnte. Aber waren wir vielleicht anders? Nur fort! Nach Catania! Nach Palermo! Nichts Berauschenderes, als durch die endlos langen geraden Straßen Catanias zu laufen, die engen Schluchten schwarzgrauer Häuser, im Fluchtpunkt das Meer. Oder am Abend in Palermo in das Strömen der Masse auf dem Corso einzutauchen, hin und zurück, immer von neuem, im Hintergrund die dunkelnden Berge. Der Wirt schwieg. Und dann ist es mir, sagte er, bei meinem nächsten Marktbesuch in Siracusa wie Schuppen von den Augen gefallen. Ich zögerte, die Straße mit den Fischständen zu betreten, und lehnte mich auf dem Platz in der Nähe an eine Hausmauer im Schatten. Schräg gegenüber stand die große Tafel mit den Anzeigen der kürzlich Verstorbenen der Stadt. Warum war mir auf einmal, ich sähe diese weißen Anschläge mit dem Trauerrand und den fetten schwarzen Buchstaben wie zum ersten Mal? Natürlich konnte ich Namen lesen, Concetta, Rosario, Fabrizio, aber wer unsere Schrift nicht kennt, mußten dem diese Todesanzeigen nicht zum Verwechseln ähnlich sehen den Anschlägen auf den zum Verkauf angebotenen Häusern in Modica? Die Jungen haben Totenhäuser vermutet! Nichts als Totenhäuser! Eines neben dem anderen. Der Wirt erhob sich. Als wäre ihm schwindlig vor Erschöpfung, griff er mit der rechten Hand nach seiner Stirn. Ich muß ein Leopardenohr fertig malen, sagte der Wirt versunken zu sich selbst, den Schuppenpanzer der kleinen Eidechse.

14

Langsam, doch unaufhaltsam sickert das erste Frühlicht in den Festsaal. Fast wirken die Deckenmalereien nun blasser als vorher in der noch nächtlichen Dämmerung. Im Garten ist ein leises Knattern der Palmen zu hören. Warum nur Serafina und ich nie errieten, daß der Wirt von der Villa sprach, wenn er das Retuschieren von Tierfresken erwähnte! Vielleicht lockte er uns selbst auf falsche Fährten. An jenem heißen Augustnachmittag jedenfalls, als wir in der schattigen Loggia Zuflucht suchten, schilderte der Wirt dem Kind die fabelhaften Tiermosaike, die sich in der Wandelhalle eines römischen Landsitzes auf Sizilien befinden. Tiere der ganzen damals bekannten Welt sind dargestellt, sagte er, Nashörner, Elefanten, Löwen, Antilopen, Panther. Und sie werden auf Schiffen von einem Kontinent zum andern gefahren! Zwei Sklaven tragen je einen Strauß im Arm zum Hafen von Karthago, man sieht förmlich, wie die riesigen Vögel sich sträuben und widerspenstig ihre Federn spreizen. Die Strauße werden in den Schiffsbauch verladen, und auf der anderen Seite kommen sie wieder hervor wie aus einem Beichtstuhl. Serafina lachte hell auf. Jetzt sind die Strauße schon in Ostia angelangt, fuhr der Wirt fort, und mit den übrigen wilden Tieren reisen sie tiberaufwärts nach Rom. Ich warf dem Wirt einen flehenden Blick zu. Wenn er nur das grausame Ende der Schifffahrt, die tödlichen Tierhetzen im Kolosseum nicht beschrieb! Und nicht die hunderttägigen Spiele, bei denen die prachtvollsten Raubtiere, fünftausend an der Zahl, bunt geschmückt und sogar bemalt, hingemetzelt wurden. Der Wirt stockte einen Augenblick. Er mußte bemerkt haben, daß ich ahnte, warum er dem Kind so ausführlich von den Wanderungen der Tiere erzählte. Schon lange vor uns, sagte der Wirt, mußten Tiere ihre Heimat verlassen und sind an anderen Kontinenten an Land gegangen, von den Zugvögeln ganz zu schweigen! Seit Urzeiten fliegen sie über weite Meere. Die lange Wandelhalle in Sizilien mit dem Mosaikfußboden der Tiere ist auch eine geografische Weltkarte, ein vom Alter gewellter Teppich aus lauter farbigen Steinchen und kleinen Glaswürfeln. Wie glänzt die schwärzliche Haut eines Nilpferdes, das im Flußdelta herumwatet, man glaubt die fettigen Wülste am Hals mit Händen greifen zu können! Das Kind verzog das Gesicht zu einer belustigten Grimasse, der Wirt wurde nicht müde, von den weiteren dargestellten Reisen der Tiere zu berichten, mit angezogenen Beinen hockte es in einem der Rattansessel und hörte zu. Im späten Nachmittagsschatten der Loggia sah ich das innere Licht auf seinem Gesicht, das scheue Aufblühen von Lebensträumen, eine jähe zarte Erregung, so freudig. Und tief verborgen in mir empfand ich jenen sonderbaren, unnennbaren Schmerz, der immer nur mit dem Kind verbunden ist bis heute.

15

Zögerte doch der Morgen noch lang! Aber wenn die Häßlichen plötzlich alle unter der offenen Flügeltür des Festsaals stehen? Ich will die fliehenden Nachtschatten anhalten, nie mehr kann ich so nah und angstlos bei Orion liegen. Doch wage ich nicht mehr ihn anzusprechen, ihm die Frage zu stellen, die mich verfolgt, was hast du gesehen, Orion, in deinen letzten Augenblicken? Das Schweigen der Totenkapelle hat sich auch in mich bis auf den Grund gesenkt. Vielleicht ist es nur ein endliches Eingehen in die Erschöpfung gewesen, die auf ihn lauerte, seit er aufgehört hatte zu kämpfen, ein williges Hinausgeschleudertwerden in die unendlichen Sternenräume. Oder doch noch einmal das Aufflammen von Glückszuständen, die Fahrt auf dem Hudson River berauscht von Schaffenskraft, das irisierende Auftauchen der Wolkenkratzer an einem Frühlingsmorgen, die Umrisse des weißgekleideten Kindes in meinem Arm hinter dem Qualm der Empfangsraketen? Ob man vor dem Erlöschen nochmals ein solches Bild an sich zieht, leidenschaftlich und ohne Hoffnung, mit dem Gefühl unsäglichen Heimwehs? Eine Ahnung davon streifte mich einmal, nach dem Sturz auf dem Eis an der nächtlichen Fasnacht. Es hatte mich einfach so hingeworfen, blitzschnell stehe ich wieder auf, trotz des rasenden Schmerzes, und betrachte ungläubig die abgedrehte Hand. Eine beherzte Unbekannte packt mich in ihren Wagen und bahnt sich einen Weg durch das Schneetreiben und die versammelten Maskierten, die hinter dem Hotel Drei Königen auf den Beginn des Fasnachtsfeuers warten. Durch die von Schneeflocken getrübte Wagenscheibe sehe ich die Vermummten nur wie Schemen, Traumgestalten. Ein Zigeunerweib nähert sich mit rasselndem Tamburin unserem Wagen und beugt sich zu meiner Scheibe herunter, ein goldener Mond glänzt auf der schwarzen Mantilla, mit der weißbeschuhten Hand fährt das Zigeunerweib mehrmals auf der Scheibe vor meinem Gesicht, die sich sofort wieder mit Schnee beschlägt, hin und her und starrt ins Wageninnere, dann entfernt es sich mit hoch erhobenem Kopf und tänzelndem Schritt. Der feurig rote Rock verschwindet zwischen den vom Schneefall gedämpften Farben der andern Maskierten, ich sehe ihnen nach durch die Schneenacht, als wäre es ein letzter Blick auf die Welt, und wilde Sehnsucht ergreift mich.

16

Nie so wie im Tod wird das Geheimnis eines Menschen offenbar. Und jetzt, da alles schweigt, die Liebesschwüre und Verwünschungen, und ich daliege in meiner seltsamen Totenwache, eingewickelt in ein Hasenfell auf dem Parkett des Festsaals, lasse ich jene dunkelste Form des Mitleids zu, der gegenüber ich stets wachsam geblieben bin, ich liebe Orion um seines Unglücks willen. Der Vorrat der Wörter war verdorben, aber einzelne Bilder zuckten noch wetterleuchtend am Horizont. Doch selbst in ihnen ist der Schauplatz unseres Lebens vorherrschender als die Gestalt Orions, das Bergmassiv über dem Dorf im Morgenglanz, das wandernde Echo des Brunnenplätscherns in den Gassen voller Stimmen, der Wirt, Serafina, der dämmerige Gartensaal mit den letzten Gästen, das Rauschen des Wasserfalls in einer Gewitternacht. Auf sie alle hatte ich meine verwundete Liebeskraft übertragen, von dieser ganzen Landschaft galt es Abschied zu nehmen, und doch würde ich es nie für immer tun. Eines Abends, der Wirt war schon nach oben gegangen, und wir hörten seine Schritte im Festsaal, sagte Serafina, die bereits von meinem Weggang in den Norden wußte, nicht ohne Heftigkeit: Natürlich zürne ich dir, daß du fortgehst! Gleichzeitig drückte sie ermutigend meine beiden Hände. Ob unser Dorf auch einmal so aussterben wird wie Modica? Weißt du noch, wie der Wirt in jener Juninacht, als wir alle wegen der Schwüle nicht einschliefen und hinunter in die Loggia kamen, uns von seiner Mutter erzählte, die nie verstanden hatte, wie man Modica verlassen konnte? Modica war ihr die Welt! Und ohne Modica existierte die Welt nicht.

Vielleicht rührte alles nur von dem beschrifteten Klosettpapier her, sagte der Wirt, während Serafina und ich uns damals in der Loggia in unseren Rattansesseln einrichteten, aufatmend über einzelne Wellen kühleren Nachtwindes. Im Dunkel des Gartens, zwischen den Ginstersträuchern, blinkte hie und da ein schwebendes Glühwürmchen. Meine Mutter, fuhr der Wirt fort, muß in den jungen Mann verliebt gewesen sein, der ihr eines Tages erklärte, daß er in Modica geboren und der Sohn des früheren Stationsvorstandes war, der nach dem Erdbeben von Messina dorthin in die Ruinenstadt versetzt wurde. Nie habe er es verwunden, daß man ihn als Kind aus Modica herausgerissen und in das aufgewühlte Messina verpflanzt hatte! Jetzt studierte er am Technikum, er wollte Ingenieur werden, aber von Zeit zu Zeit mußte er an den Bahnhof von Modica. Versunken stand er dann lange dort in der Sonnenglut, nie stellte er sich unter das schützende Vordach des safrangelben Stationsgebäudes, als wolle er eins werden mit der flimmernden Hitze über den Geleisen und dem betäubenden Geruch des wilden Thymians. Die Mutter des Wirts, noch sehr jung, saß im Schatten vor dem Toilettenhäuschen auf ihrem Klappsessel, neben sich auf einem verrosteten kleinen Gartentisch den Blechteller mit den spärlichen Münzen, und betrachtete die seltene Erscheinung. Der Mann trug meist eine karierte Jacke, die ihr sehr englisch vorkam, und immer eine Krawatte. Als er sich dem

Toilettenhäuschen näherte, bemerkte sie unter den auffallend buschigen Brauen das Verhaltene in seinen großen dunklen Augen. Irgendwie davon gebannt, rührte sie keinen Finger, um das Klosettpapier abzuzählen. Vielleicht lag etwas Fragendes in ihrem Blick, denn der junge Mann begann, als müsse er sein stummes Dastehen vor dem Bahnhofsgebäude erklären, davon zu erzählen, warum es ihn immer wieder verlange, nach Modica zurückzukehren. Wenn er nur lange genug in der kochenden Hitze vor den Geleisen ausharre, sehe er seinen Vater vor sich, wie er bei Ankunft oder Abfahrt eines Zuges in Galauniform vor das Stationsgebäude trat, auch eine bloße Durchfahrt versäumte er nie. Aufrecht, würdevoll, unbeweglich stand er dann im Fahrtwind und hob grüßend die Hand an die rote Schirmmütze, auf der die Flügel des Hermes glänzten, und sein Vater erschien ihm wie der Gott der Reise selbst, dieses bittersüßen Erdengeschenks, das er noch so oft verfluchen würde. Die junge Frau zählte nun doch aufmerksam das üblich bemessene Klosettpapier ab und gab ihm drei Blätter dazu. Sie glaubte, ein Lächeln in den Augenwinkeln des jungen Mannes zu entdekken. Er zog einen Stift aus seiner Jackentasche, beugte sich hinunter auf den wackeligen Gartentisch, beschrieb eines der Blätter mit wenigen Zeilen und gab es ihr zurück. Sie nahm am Abend das Blatt nach Hause und las es wieder und wieder. Von einem weißen Kleid war die Rede, nackten Armen, Wind, gewissen Nächten im März, es schien ein Gedicht zu sein, obwohl es sich nicht reimte. Aber ja, sie hatte an diesem Tag ein weißes Sommerkleid getragen!

Sie wartete vor ihrem Toilettenhäuschen nur noch auf die Rückkehr des Mannes mit den buschigen schwarzen Augenbrauen. Kaum setzte sich das Läutewerk einer Stationsglocke in Bewegung, erfüllte sie das grelle Bimmeln mit nie gekannter Aufregung. Der helle Ton kündigte die Ankunft eines Zuges aus Siracusa an, beim dunkleren würde einer aus Caltanissetta eintreffen. Manchmal kreuzten sich die Züge beinahe, und dann erscholl in der glutheißen Stille der kleinen Bahnstation ein frenetisches Klingelkonzert. In genau einem solchen Augenblick tauchte nach Monaten zwischen den wenigen Reisenden endlich die karierte Jacke auf. Die junge Frau begann sofort Klosettpapier abzuzählen, und als der Mann auf das Toilettenhäuschen zukam, muß sie gestrahlt haben, als hätte sie das vorherige vielstimmige Empfangsgebimmel eigens für ihn in Gang gesetzt. Sie überreichte ihm unverzüglich die üblichen zwei Blätter und dann, nicht ohne zarte Feierlichkeit, sechs weitere dazu. Der Mann schaute sie nachdenklich an. Sie fühlte, wie sie errötete, und stand von ihrem Klappsessel auf, damit er sich setzen konnte. Er hielt öfters inne während des Schreibens, aber schließlich hinterließ er ihr drei vollgekritzelte Blätter. Als der Mann gegangen war, las sie die Zeilen noch vor dem

Toilettenhäuschen. Eine unbestimmbare Traurigkeit fraß sich aus den Worten in sie hinein, begrabene Stimmen und tote Engel kamen darin vor, Sümpfe, staubige Straßen, Betrug. Beinahe ein Jahr sollte verstreichen, ehe sie den jungen Mann mit den buschigen schwarzen Augenbrauen in einer warmen Abenddämmerung nochmals aus dem Zug steigen sah. Die karierte Jacke mußte ziemlich abgetragen sein, aber im Grunde hatte sie keine Augen dafür. Eine jähe Melancholie, die sie nicht niederzukämpfen wußte, überwältigte sie. Ihr war, sie sähe den jungen Mann zum letzten Mal. Und ohne sich von ihrem Klappsessel zu erheben und auch nur ein einziges Papier abzuzählen, begann sie langsam und vorsichtig, in vollkommener Stille, die ganze Klosettrolle abzuwickeln. Unaufhaltsam fielen die breiten weißen Papierstreifen aus ihrer Hand zu Boden, bauschten sich kurz, warfen bizarre Falten und blieben ruhig liegen. Reglos saß sie am Ende inmitten ihrer so verschwenderisch dargebotenen Verehrung. Der Sohn des einstigen Stationsvorstandes, sagte der Wirt, begann erst nach einer langen Pause die Klosettrolle sorgfältig aufzuwickeln und nahm sie mit sich. Meine Mutter sah ihn nie wieder. Hie und da traf mit der Post ein Couvert für sie ein, und darin lag ein beschriftetes Klosettpapier. Der Aufgabestempel war Rom, danach Genua, Mailand, und die Entfernung wuchs für sie ins Unermeßliche. Sie heiratete spät, auf ihrem Nachttischchen bündelte sie weiter die vollgekritzelten Klosettblätter, in denen sie ihre Welt, ihr Modica beschrieben fand, die Hitze, die Schatten der Toten, die verdurstenden Tiere, die gleißenden Steine und unstillbare Traurigkeit. Vielleicht ließ mein Vater, sagte der Wirt, sie Eifersucht auf diese Blätter spüren, durch die sie unablässig mit einer ihm unbekannten inneren Stimme verbunden war, jedenfalls muß sie nach meiner Geburt das Nachttischchen geräumt haben. Mit dünnen Klebestreifen heftete sie die beschrifteten Klosettblätter auf die grüne Tapete über meinem Kinderbett. In meinen frühesten Erinnerungen schaukeln diese Blätter über mir im Wind, der den Fensterflügel aufgestoßen hat, oder sind es die Zweige der weißblühenden Tamariske nahe der Hausmauer, die sich hereinneigen?

Serafina gab unüberhörbare Zeichen der Schläfrigkeit von sich. So wie der Sohn des Stationsvorstandes damals, sagte der Wirt leiser, im Flimmern über den Bahngeleisen seinen Vater gesucht hat, in der roten Schirmmütze mit den glänzenden Hermesflügeln, so sehe ich bei jeder Ankunft in Modica meine Mutter noch immer als junge Frau in der Abenddämmerung vor dem Toilettenhäuschen sitzen, umgeben von den in langsamen Wellen niederfallenden Klosettpapierstreifen, die sich still in bauschige Falten legen und rund um sie liegenbleiben wie Schnee.

17

Mir ist, meine Füße und Arme seien eingeschlafen. Nur meine Augen wandern von einem Freskenmedaillon zum andern, als stünde ich unter einem ähnlich unerklärbaren Bann wie die darin gemalten Tiere. Sie stellen vielleicht Vertreter der verschiedenen Erdteile dar, eingerahmt von der ihnen entsprechenden Landschaft, deutlich unterscheide ich Palmen, Sanddünen, Kiefern. Ein Medaillon leuchtet besonders klar. Vor zerklüfteten Eisbergen richten sich zwei Polarbären auf ihren Hinterbeinen in die Höhe. Einander zugewandt, heben beide ihre Pfoten empor, doch nicht wie im Kampf, eher zum Tanz. Aber ist das wirklich noch die Arktis? Die Eisberge dehnen sich aus zum weißverschneiten Saum der Gipfel hinter der winterlichen Hochebene, an deren Ende Serafinas Elternhaus steht. Auf dem Scheitelpunkt der Ebene liegt der kleine See, zugefroren bei großem Frost, Orion hatte uns mit zwei Nachbarskindern am frühen Nachmittag dorthin gefahren, sie wollten miteinander auf dem Eis herumtollen. Jetzt aber werden die Schatten länger und länger. Die Kinder haben sich ausgetobt, weder sich jagen, den Erfrorenen spielen noch als Robbe herumrutschen ist weiter interessant. Wir ziehen uns auf den letzten sonnenbeschienenen Schneehügel zurück und warten. Von Orion keine Spur. Obwohl ein ungewohnt lauer Wind über die Ebene bläst, kriecht uns von den Füßen her die Kälte in alle Glieder. Die verabredete Zeit ist seit mehr als einer Stunde vorüber, als in der Ferne endlich sein Wagen auftaucht. Die Kinder springen hoch und winken. Der Wagen zuckelt in merkwürdig mäandrischen Bewegungen über die lange gerade Straße, die Kinder deuten es begeistert als Antwort auf ihr Winken und schicken Orion anfeuernde Rufe entgegen. Der Wagen nähert sich, manchmal kurz in zielgenauer Fahrt, dann wieder von Wiesenrand zu Wiesenrand schlitternd. Er hält uns gegenüber am anderen Ende des kleinen zugefrorenen Sees, der schon im Schatten liegt, während auf unserem Schneehügel das untergehende Sonnenlicht gerade erlischt. Orion steigt aus, in schweren Winterschuhen und im bloßen weißen Hemd mit zurückgekrempelten Ärmeln, und als wäre schon das Gehen auf festem Wiesenboden etwas ganz und gar Fremdartiges, versucht er mit flatternden Händen das Gleichgewicht zu halten. Mimt er nur den Verrückten? Die Kinder jedenfalls scheinen das so zu sehen, sie lachen und locken ihn zu uns herüber, während sich mir das Herz zusammenzieht. Das Zutrauen der Kinder aber verleiht Orion offensichtlich Flügel. Kaum ist er auf dem Eis des Sees, verwandelt sich sein Schwanken in einen Tanz, mit halluzinatorischer Sicherheit kommt er, um sich selbst kreisend, auf uns zu. Die Kinder klatschen, jubeln. Dann ist ein seltsam hohes Sirren zu hören, kurz vor dem Ufer bricht Orion krachend durchs Eis. Dem Aufkreischen der Kinder folgt Totenstille. Das Wasser steigt Orion bis über die Knie. Er jedoch zeigt sich völlig unbeeindruckt, er hebt nur langsam die Arme über den Kopf und ruft: Die Unterirdischen ziehen mich hinunter!

18

Im Halbschlaf wächst das Fresko der Tellskapelle, unten im Gartensaal, unmerklich über die Stuckrahmen hinaus. Der indigoblaue See schwappt in immer heftigeren Wellen über die westliche Saalwand. Bald werden die Rattansessel im Wasser stehen! Der Berggipfel, über dem die düstere Gewitterwolke lagert, beginnt zu rauchen, zuerst weiße, dann schwärzliche Wolken, rotglühende Funken stieben empor, ein Blitz zuckt hinunter bis in den See. In seinem grellen Schein leuchtet eines der Freiheitsbilder hinter der Glaswand auf. Aber im Grunde ist es nur der riesige nackte Fuß, der kurz sichtbar wird, zum Zerreißen gespannte Sehnen, kraftvoll gespreizte Zehen, es ist der Augenblick des rettenden Sprungs auf die Felsplatte, denn auch im Innern der Tellskapelle wird ein See vom Sturm gepeitscht, und im riesigen Fuß ist der ganze Überlebenswille eines Mannes versammelt, der den Nachen des Tyrannen zurückstößt in die vom Föhn aufgewühlten Wellen. Auch über mir stürzen sie zusammen, Mund und Nase füllen sich mit Wasser, ich kann nicht mehr atmen, verschlucke mich krampfartig, das Herz rast, ich ersticke! In Panik bäume ich mich auf, schlage um mich und erwache im Festsaal. Ich bin völlig durchnäßt, aber es ist nicht Wasser und nicht Wärme. Es ist der Angstschweiß. Wieder und wieder taste ich nach meinem Hasenfell, suche mit den Augen in den Deckenmedaillons ein Tier nach dem anderen auf, als könnte es mich erlösen. Der Sprung aus der Todesfurcht! Hinaus auf die Felsplatte. In die Freiheit. Das ist der verehrungswürdigste Augenblick einer versunkenen Geschichte, oft entstellt, oft mißbraucht, um dieses einen Augenblicks willen, immer von neuem herausgesprengt aus der Vergangenheit, fahren Schiffe seit Jahrhunderten bei Fackelschein über den See, und vom Wasser aus wohnen die nächtlichen Passagiere einem Gedenken in der Kapelle bei, noch heute legen sie in der Nähe an, und durch das schwarze Walddickicht zieht ein Flimmern angezündeter Kerzen. Aber ein Windstoß vom See her löscht sie aus, in der Dunkelheit nähert sich ein Sturm, wilder und verschlingender als der Föhn, gurgelnde Gischt rast über die Klippen, Feuerwolken erhellen den Ätna, und Menschen klammern sich vor dem Ertrinken an eine Felsplatte.

19

Wenn die Nachrichten aus der Welt uns bedrückten und mit Unruhe erfüllten, gingen wir oft vom Gartensaal hinaus in die Loggia. Vielleicht glaubten wir uns mit dem Aufenthalt in diesem Zwischenreich, weder ganz im Freien noch geschützt im Haus, etwas näher all jenen, die nichts anderes mehr kennen. Es war auch in der Loggia, wo der Wirt an einem frühen Herbstabend plötzlich auf Reisegedanken kam. In der Wirtschaft erwarteten wir keine Gäste mehr, im Dorf wurde die Traubenernte vorbereitet, die Luft war schwer und süß vom Duft der geplatzten kleinen Pergolatrauben in den Gärten. Das Kind schlief schon zwischen uns auf zwei zusammengeschobenen Rattansesseln. Ist es nicht absurd, rief der Wirt aus, wenn ich unten in der Ebene endlich aus dem Stau ausbrechen und zu uns herauffahren kann, muß ich doch in jeder Spitzkehre einen raschen Blick auf die stockende Kolonne in der Tiefe werfen, die sich kaum wahrnehmbar der Grenze zuwälzt, ein in der letzten Sonne gleißendes müdes Reptil, tagaus, tagein, und beinahe werde ich der Ankunft bei uns am Waldrand nicht froh, als würde ich einem Schicksal, das mir seit Generationen eingeschrieben ist, entrinnen wollen. Da unten, eingezwängt zwischen den Grenzgängern, ist mein Platz, so wie mein Großvater zusammengepfercht mit anderen Auswanderern im fensterlosen Laderaum eines Überseedampfers hockte, unter der Wasserlinie, im Dröhnen der Schiffsmotoren, in Palermo war die Giuseppe Verdi in See gestochen Richtung Amerika. Er war neunjährig, während der ganzen Überfahrt war ihm übel, zu essen gab es nur gestampfte Kartoffeln, die er sogleich wieder erbrach, und als jemand eine Knoblauchzehe für ihn auftrieb, würgte es ihn erst recht. Nie mehr würde er den Atlantik überqueren wollen, nie mehr! Das muß er sich damals als Junge geschworen haben, und er hat auch nie Kalifornien verlassen, mit einer unglaublichen Hartnäckigkeit weigerte er sich, zusammen mit einem seiner Söhne Sizilien wiederzusehen. Aber mein Vater, der Rückkehrer, sagte der Wirt, hat mir dieses zwiespältige Verlangen nach einer Atlantiküberquerung eingepflanzt, obwohl mir ein Nachbar kürzlich erzählte, wie maßlos enttäuscht er von so einer Schiffsreise gewesen sei. Hatte da jemand vom Gefühl unendlicher Dimensionen und Grenzenlosigkeit gesprochen? Nichts als Nebel herrschte auf dem Atlantik, Nebel, Nebel. Und dazu das Getrampel der Jogger, die unablässig übers Deck hetzten. Die Träneninsel? Das Auffanglager auf der schmalen Sandbank des Hudson Rivers, wo die Einwanderer einst registriert und durch verschiedene Untersuchungen geschleust wurden, ist jetzt ein Museum. Ich bin durch Säle, Waschküchen, endlose Korridore mit zerbrochenen Glasscheiben gewandert, sagte der Nachbar, ich habe auf die zerschlissenen Matratzen gestarrt, aus denen das Roßhaar herausquillt, eine zerbeulte weiße Emailletasse betastet, deren blauer Rand fast vollständig abgeblättert ist, und ich habe nichts empfunden als eine entsetzliche Stumpfheit in mir. Tausende vergilbter Fotos, Listen, Befragungen, alte Geldscheine, Koffer, aber nichts macht die tranceartige Erschöpfung der damals dort Wartenden wieder lebendig, die irrsinnige trotzige Hoffnung, die Panik vor einem Auseinanderreißen der Familie, die tödliche Furcht, wegen einer Krankheit abgewiesen und zurückgeschickt zu werden, die vielen Selbstmorde. Ich war wie versteinert, sagte der Nachbar, Verzweiflung ist unwiederbringlich wie das Glück.

Serafina hörte dem Wirt angespannt zu. Nach längerer Stille sagte sie mutwillig, sollten wir nicht auch einmal weggehen? Und als würde sie diesen Entschluß am liebsten unverzüglich ausführen, stand sie abrupt auf und breitete die Arme aus, einfach fort, die Wirtschaft schließen, und weg! Der Wirt schaute Serafina überrascht an. Vielleicht hatte er sich bis jetzt keine seßhaftere Person vorstellen können als sie. Aber wo würdest du denn hingehen, fragte der Wirt, eher amüsiert als aus Interesse. Nach Riga, antwortete Serafina mit großer Entschiedenheit. Der Wirt betrachtete sie nun tatsächlich verdutzt. Aber Serafina, warum nur ausgerechnet nach Riga? Mir schien, Serafina wolle ein Erröten verbergen. Sie bückte sich und half mit dem Blatt eines Zitronen-

bäumchens zwei auf den Rücken gefallenen Hirsch-
käfern wieder auf die Beine. Die Rigaer Bucht! rief
Serafina, ist sie nicht berühmt? Und der Pulverturm!
Die Oper! Dem Wirt gelang es an jenem Abend nicht
mehr, Serafina nach ihrer besonderen Neigung zu
Riga auszuforschen. Vom Dorf herauf kamen eilige
Schritte durch den Kastanienwald, Stimmen riefen
aufgeregt nach dem Wirt, ein Traktor hänge über
das eingedrückte Geländer der Brücke, jeden Augenblick könne er in den Abgrund stürzen, wo man ihn
doch gerade so dringend brauche! Es war der Traktor von Renzo, der damals in der Wirtschaft Guglielmo
mo Tell mit den überreifen Feigen beworfen hatte.

20

Jetzt wird selbst in die rote Kammer die schwache
Morgendämmerung dringen, auch wenn sie im Winter fast immer im Schatten bleibt. Noch zögern die
braunen Wasserstreifen, die vom Fenstersims hinab
zum Eichenboden verlaufen, sich in Blutrinnsale zu
verwandeln. Aber kaum fällt das erste Licht auf sie,
beginnt das Blut zu tropfen. Zu welcher Schreckens-
farbe ist das geliebte Rot geworden. Es gibt kein Entrinnen. Doch seit ich mich nicht mehr wehre gegen
den grauen Mantel, der aus der aufgetrennten Win-
terkleidung meines Vaters für mich geschneidert worden ist, wächst mir aus diesem Erbe eine nie geahnte

Lebenskraft zu. Sie muß in jenem ersten mir erinnerlichen Traum befestigt worden sein, den ich hatte, als mein Vater schon gestorben war. Dieser Traum hört nie auf. Ich fahre in einem großen Wagen mit meinem Vater durch eine unendliche Schneelandschaft, niemand sitzt am Steuer, weder mein Vater noch ich. Fern auf einem Hügel steht ein weißer Gutshof, dem sich der Wagen langsam nähert, das ganze Erdgeschoß ist ein weiter leerer Saal, in den wir eintreten. Auf dem bloßen Parkett lassen wir uns nieder, und an meinen Vater gelehnt, in seinem rauhen grauen Wintermantel, schlafe ich ein. Gegen die Frühe weckt er mich und deutet lautlos hinaus. Da sehe ich im dichten Schneefall einen Knaben vorübergehen, ein kleines Schaf im Arm, er geht vorbei, ohne mich anzuschauen, alles ist von tiefer Stille und Unerklärlichkeit, und noch im Traum weiß ich, es kann mir nichts geschehen.

2 1

Der Einfall des Frühlichts muß sich verändert haben. Die Leoparden und Gazellen, die Hirsche und Schlangen in den Deckenmedaillons verblassen, dafür tritt das Mittelbild, welches sie umkränzen, nun deutlicher hervor und übt die Anziehung aus, die wohl seine Bestimmung ist. Ohne Zweifel handelt es sich um eine alte Eiche, Vögel umschwirren die ausladende Krone, aber ist der mächtige Stamm wirklich von so seltsamen Wülsten durchzogen? Es sind muskulöse, nackte Beine! Da sitzt jemand, auch ein heller Arm schimmert, die gekrümmten Finger zweier Hände. Und plötzlich sehe ich die Leier. Die Saiten sind haarscharf gemalt, sie müssen frisch retuschiert worden sein, während ich das Gesicht des Spielers, der die Leier unter dem linken Arm eingeklemmt hat, nicht erkennen kann, seine ganze übrige Gestalt scheint mit dem Eichenstamm zu verwachsen. Sind alle die Tiere aus den verschiedenen Erdteilen nur seinetwegen da und lauschen, wie in einem Ewigkeitszauber befriedet, seinem Gesang? Auf einmal fällt mir eines der letzten Telefongespräche mit Serafina ein, bei dem sie sich beunruhigt über den Zustand des Wirts geäußert hatte. Er ist so verschlossen geworden, sagte sie, nie mehr sitzen wir stundenlang in der Loggia. Am späten Abend beginnt oft ein Rumoren oben im Festsaal, wir hören das unstete Auf und Ab seiner Schritte, das Herumschieben von Gegenständen, dann wieder jähe Lautlosigkeit. Kürzlich, es ging schon gegen Mitternacht, ich saß noch mit Renzo und zwei anderen Männern aus dem Dorf im Gartensaal, kommt er herunter, reißt die Tür auf und ruft: Orpheus singt! Und Serafina, fast empört, am Telefon: Was er nur damit wieder gemeint hat! Renzo und ich kamen gar nicht dazu, ihn näher auszufragen, der Wirt war dermaßen unzugänglich beschwingt, er holte eine Flasche Merlot und stellte sie auf den Tisch, eine Runde für alle! Aber ich habe noch zu tun! Schon wieder ging er hinauf in den Festsaal, kurz war ein Scheppern zu hören, dann nichts mehr. Wir blieben ratlos zurück, keiner konnte sich einen Reim darauf machen. Endlich schloß ich die Wirtschaft. In jener Nacht schlief ich im Studierzimmer. Du weißt, es ist meine Arche Noah, sagte Serafina, ich fühle mich dort so geborgen, daß ich selbst in der Dunkelheit über die unzumutbarsten Dinge nachdenken kann. Vielleicht hing der Zustand des Wirts mit der Begebenheit zusammen, die sich in Modica ereignet hatte? In aufgeräumter Stimmung ist er im Dezember aus Sizilien zurückgekehrt. Wir haben ja alle nicht vergessen, sagte Serafina, wie der Wirt mit seinen Plänen, in der verlassenen Oberstadt von Modica Migranten unterzubringen, gescheitert ist. Aber an einem frostigen Morgen verließ er das Haus seiner Mutter und entdeckte, gegen die Tür des leerstehenden Nachbarhauses gedrückt, einen unförmigen schwarzen Abfallsack. Jetzt werden sie auch hier zu faul, den nächsten Container aufzusuchen, dachte er in einer Aufwallung des Zorns, man deponiert seinen Müll einfach vor der Nachbarstür! In diesem Augenblick rührte sich etwas in dem schwarzen Sack. Ebenso angewidert wie mitleidig näherte er sich. Es handelte sich bestimmt um eine kranke Katze, einen halbtoten Hund. Doch wer lag in dem Abfallsack und rollte etwas schlaftrunken heraus, rief der Wirt, der Junge von damals! Den ich mit den andern zwei Männern von Siracusa heraufgefahren habe, um ihnen das unbewohnte Haus zu zeigen! Serafina wandte zweifelnd ein, das sei nun schon etwas länger her, aber der Wirt war vollkommen überzeugt. Er hatte den Jungen an den eingeschlagenen Zähnen, dem verfilzten Kraushaar und dem eigentümlich intensiven Blick wiedererkannt. Der Junge deutete denn auch sofort zu dem Zettel hinauf, mit dem man an der Haustür noch immer nach Mietern suchte, und nickte heftig mit dem Kopf, berührte auch mehrmals seine Ohren. Ob ihn fror an den Ohren? Der Wirt verstand einige Worte des Jungen, obwohl sie wenig artikuliert waren, schließlich zog dieser ein Handy hervor und zeigte auf eine Übersetzungs-App, deren Guthaben jedoch erschöpft war. Offensichtlich war der Junge entschlossen, in Modica zu bleiben. Der Wirt wollte denn auch möglichst bald mit ihm auf die Stadtverwaltung gehen, holte aber zuerst noch einen heißen Kaffee im Haus. Der Junge hatte sich inzwischen auf die Türschwelle gekauert. Auf das Näherkommen des Wirts, die dampfende Kaffeetasse in der Hand, reagierte er mit keiner Bewegung, der Wirt ließ absichtlich den Löffel fallen, der Junge hob nicht einmal den Kopf. Er mußte gehörlos sein. Hastig, dankbar schlürfte er den Kaffee und stand auf. Der Wirt riß den weißen Anschlag mit den fetten schwarzen Buchstaben von der Haustür des Nachbarhauses und zerknüllte ihn. Wie er da lachte, rief der Wirt aus, du hättest dieses

Lachen sehen sollen, Serafina! Zusammen gingen sie in die Unterstadt, die noch im Winterschatten lag, vom Wirt fiel wie eine Lähmung ab, der Junge war zurückgekehrt! Plötzlich bemerkte er, daß er den zerdrückten Anschlag immer noch in der Hand hielt, und warf ihn hoch in die Luft. Der Junge legte den Kopf in den Nacken und fing den Papierknäuel geschickt auf. In diesem Moment begegneten sich kurz ihre Blicke, der Wirt sah das Aufblitzen von Verwegenheit und Freude in den dunklen Augen unter dem Kraushaar, bevor der Junge den Zettel nun seinerseits in den Himmel schleuderte. So flog er wie ein Ball zwischen ihnen hin und her, der Geruch von da und dort rauchenden Kaminen zog durch den kalten Dezembermorgen, und der Wirt wurde von der Zuversicht im Gesicht des Jungen erfüllt. Leben würde wieder in das ausgestorbene Nachbarhaus einziehen. Fremdes, unvertrautes Leben. Das Modica seiner Mutter gehörte der Vergangenheit an, neue Schmerzen, Irritationen und Glück würden die Gassen erfüllen. Zukunft.

22

Es ist Orpheus. Seinetwegen sind Eidechsen, Hirsche, Giraffen, Elefanten und Polarbären herbeigeeilt und lagern sich um die Eiche, Flüsse ändern ihren Lauf, um den Gesang zu hören, Felsen und Steine erheben sich vom Boden. Ich muß Serafina heute den Festsaal zeigen. Und Orion! Wie hätte Orion die Komposition der Decke bewundert. Oft hatte er in Sommernächten das Sternbild der Leier gesucht, gegen Jahresende taucht es langsam im Nordwesten ab, welch kleines weißliches Licht, sagte Orion, und doch so hell, ich werde einmal mit der Leier verschwinden. Ob Orion in den Sternenräumen las, so wie Serafina während jenes Mitternachtsmahls auf die überdimensionierte Armbanduhr des Häßlichen neben ihr gestarrt hatte und ihr war, sie sähe durch das Skelettzifferblatt in das Innere der Zeit selbst? Die nachtblauen Zifferblätter, das orange Blinken, schwach, doch regelmäßig, sagte Serafina, vielleicht eine Warnung, daß unsere Zeit abgelaufen ist. Und ich stehe wieder an einem Herbstabend auf dem Berggrat und werfe einen letzten Blick auf unser Dorf, das an die bewaldeten Felshänge des gegenüberliegenden Bergmassivs lehnt, es scheint schon so unerreichbar fern. War der Morgen nicht von glänzend klarem Licht erfüllt gewesen, jeder Hügelrand von gestochener Kontur? Ein langsames Erlöschen liegt über der Welt. Von Mailand her schiebt sich eine düstere Smogmauer heran, sie wächst über die ganze Ebene, immer höher, sie hat unser Dorf bereits verschluckt. Nur zuoberst auf dem Berg funkelt, knapp über der gigantischen Dunstwand, für Augenblicke etwas auf wie ein geschliffener Diamant, es muß eine Glaswand des neuerbauten Gipfelhotels sein, das sich dort oben als Steinknospe gegen den Himmel öffnet, nochmals sendet sie ein apokalyptisches Gleißen aus, dann versinkt alles in undurchdringlichem Abendgrau.

23

Wache oder schlafe ich? Etwas von jener schwerelosen Erschöpfung, die einen nach einer unruhigen Nacht durchzieht, hat mich erfaßt. Über mir blaut der Freskenhimmel, die Vögel darin beginnen zaghaft zu zwitschern, eine Eidechse zuckt mit ihrem Schwanz, der Leopard stellt die Ohren auf. Werden nicht auch die Häßlichen im Garten sich nun regen, aufstehen und in die Villa hereinkommen? Ohne daß die Flügeltür des Festsaals aufging, habe ich das durchdringende Gefühl, daß jemand eingetreten ist und neben mir auf dem Parkett sitzt. Ich vermag kaum mehr die Augen zu öffnen. Hat sich eine Fasanenfeder über mich geneigt? Ein zerdrückter Strohhut mit ausgebleichten Anemonen und Margeriten? Eine Perlenkette schwingt lockend hin und her, hochmütig lächelt das Maskengesicht, aber hinter den Augenschlitzen ist es schwarz. Doch jetzt streckt der Schöne mir die Hand entgegen, in spielerischer Herausforderung, es ist dieselbe galante Bewegung, mit der Orion die Hand ausstreckte, ich befinde mich zuoberst auf der Freitreppe, und ein Unbekannter springt über die Stufen hinauf, den langen schwarzen Mantel offen. Menschen eilen die Freitreppe hinab an ihm vorbei, er hat mich ausgewählt, um Wechselgeld zu erbitten, ich muß welches haben, ich sehe ganz danach aus, plötzlich hängt alles davon ab, die Sache ist von triumphierender Dringlichkeit. Von mir will er diese Münze haben, das Unterpfand der Fülle, eines kurzen flammenden Sommers, des letzten Rausches vor dem Tod. Und jetzt ist er wieder da, Orion, und fordert von neuem eine Münze. Es war schon damals, oben auf der Freitreppe, das Fährgeld für Charon, auch wenn ich es nicht wußte und es dem Unbekannten im schwarzen Mantel leichthin gab, sein siegreicher Spott besiegelte alles, wie habe ich ihn geküßt, unter Lachen und Schluchzen, und die Münze blieb wohl verwahrt als Grabbeigabe unter seiner Zunge, während in der Ferne der Fährmann wartete und der erste Abendwind den Acheron kräuselte. Fieberhaft suche ich in meinen Hosentaschen nach einer Münze. Ohne mich aus dem Hasenfell auszuwickeln, greife ich unter meinen Rücken, vielleicht ist eine herausgefallen. Nichts. Wie konnte Orion sie verlieren! Ich richte mich etwas auf, der Schöne ist bestimmt nicht ohne den Häßlichen in den Festsaal eingedrungen, sie lehnten so unzertrennlich aneinander in der Loggia. Und da sitzt er doch, als wäre er nicht von weit her gekommen, still neben mir, auf der anderen Seite. Er hat die Lumpen eng um sich gebunden, das zerrissene

173

Schaffell über der Brust zusammengelegt. Ich suche die Hände, die feingliedrigen Hände! Aber der Häßliche hat die schmutzigen Gummihandschuhe übergestreift, und eine Hand, das bemerke ich erst jetzt, liegt ganz ruhig, wie wenn er nie fort gewesen wäre, auf dem Hasenfell, da, auf meinem linken Arm. Hinter den Augenlöchern der rohen düsteren Holzmaske schauen Augen mich an, dunkle Augen von einem tiefen Glanz, vom ersten Tag an haben sie mich so angeblickt, ihr Anderssein bezeugend, ihre Herkunft aus einem unbekannten Reich, und doch so bedingungslos offen für jede gemeinsame Freude, jeden Aufbruch, jedes Leid. Ich taste nach der Hand auf meinem Arm, der Hand im spröden rissigen Gummihandschuh, ich bin so müde, daß ich kaum diese einzigen Worte sagen kann, meine kleine Steineiche. Da öffnet sich die Hand im verdreckten Gummihandschuh und gibt mir die Münze, die Münze für Orion. Das Fährgeld.

2 4

Daß man an so viel Stille erwachen kann, ich wußte es nicht. Sie füllt mir den Mund, die Augen, alle Glieder, sie strömt aus dem Freskenhimmel in den Saal, in lichten Morgenwellen. Die Hirsche, Eidechsen, Gazellen und Leoparden in den Medaillons verharren reglos in ihrem Bann, Orpheus spielt seine unhörbare Musik. Angestrengt lausche ich auf Schritte im Garten. Kein Verschieben von Rattansesseln, kein Knirschen von Kies zwischen den Zitronenbäumchen, kein Klirren der Glastür. Heute ist die Totenmesse für Orion. Aber warum ist die Flügeltür zum Festsaal leicht angelehnt? Ich sehe durch den Spalt, wie erste Sonnenstrahlen ins noch dunkle Treppenhaus fallen. Augenblicklich bin ich hellwach. Aus dem Schatten beim großen Fenster im Festsaal löst sich eine Gestalt. Der Wirt! So rasch stehe ich auf, daß das Hasenfell zu Boden fällt, ich bücke mich, raffe es zusammen und lege es dem Wirt in die Arme. Wo sind sie, rufe ich, die Maskierten, der Garten muß voll von ihnen sein! Ich eile ans Fenster. Die schmalen Palmenblätter wirken so starr, als wären sie über Nacht erfroren. Auf den verwilderten Buchsrondellen glitzert der Rauhreif. Niemand ist auf den Wegen, kein einziger Häßlicher unter den Ginstersträuchern, der Platz bei den Zitronenbäumchen ist leer. Ungläubig drehe ich mich um zum Wirt. Da trifft mich sein Blick, in dem das versammelte Schweigen der vergangenen Jahre ruht, der unverbrüchliche Halt, der Glaube, mit dem er mein ganzes Wesen erwärmt hat. Es ist Zeit, sagt der Wirt, die Glocken läuten schon. Aber schauen Sie nicht zurück!